ビリギャル式
坪田塾の
英文法ノート

BIRIGAL-SHIKI

坪田塾講師 中野正樹 著
坪田信貴 監修

KADOKAWA

はじめに

　はじめまして。有村架純さん主演で映画化された「ビリギャル」の原作者、坪田信貴です。このたびは、数ある参考書や問題集の中から、坪田塾のシリーズを手に取ってくださって本当にありがとうございます。

あなたには無限の可能性がある！

　本の出版、映画の公開以降、大変ありがたいことに多くの方から「坪田先生みたいな人に教えてほしい」という声を多くいただいています。「坪田塾は自分の家の近くに開校しないのか？」あるいは「推薦する塾が近くにないか？」といったお問い合わせも、全国各地からいただきました。

　また、全国に講演に行かせていただいたところ、1年間で10万人以上の方々が足を運んで僕に会いに来てくださいました。

　会場に入るために長蛇の列ができているのを見て、本当にありがたいなと感謝の念がわき起こるとともに、あることに気づきました。

　それは、「この方たちは、坪田信貴に会いに来たんじゃないな」ということです。え？と思うかもしれません。でも、きっと、僕かどうかはどうでもよくて、むしろ「自分の可能性を教えてくれる大人」「一緒に泣き笑いながらがんばってくれる人」「全力で伴走してくれる先生」そんな人と出会いたいと思っているんじゃないかな？と気づいたのです。

　そしてきっと、多くの子どもたちだけじゃなく、大人にとっても、「そういう人がいてくれたらな」という願望は、全国の人が心の奥底に持っているのではないでしょうか。

　そこで、僕は、改めて自分の仕事がわかりました。「そういう先生を数多く輩出する」ということです。もちろん、僕は完ぺき

な先生ではありませんが、これ以上は無理と言えるほど自分の担当する生徒のことに真剣に向き合ったし、そのためにたくさん勉強もしました。僕自身が生徒のために成長しないと、と常に思ってきました。

　それに共感し、一緒に努力を続けてくれているのが、今の坪田塾の先生たちです。そして、今回この坪田塾の教材シリーズで登場してくれている先生たちは、その中でも僕が自信を持ってお勧めできる先生たちです。

　そんな先生をいきなり1万人作ってみなさんの近くに送るのは難しいです。でも、こうして動画も使った教材という形で、最新の技術を用いて、少しでもみなさんに僕たちの考え方や、指導法、勉強の仕方を届ける努力をしたい。**あなたの貴重な青春の時間を少しでも無駄にせず、効率的に学習を進めて、成長を助けたい。**志望校に合格して応援してくれるすべての人を喜ばせたいと思うあなたの後押しをしたい。そう心から願って、考えに考え抜いて、KADOKAWAさんにお願いしたのが今回の坪田塾の教材シリーズの製作です。そして、あなたが今手に取っているこの本がその結晶です。

　まず、僕たちの想いがあなたに届いたことが、とても奇跡的だし、本当にうれしく思います。ありがとうございます。ぜひ、最後まで使っていただき、加速的に成長していってください。そして志望校に合格したあなたの喜んだ顔をぜひ僕たちにも見せてください。楽しみにしていますね。

やればやった分だけ伸びる！

　さて、ここからは、坪田塾の教材シリーズのコンセプト（一貫したテーマ）について少しお話をさせてください。ではまずコンセプトから発表します。

「**最短・最速・無駄なく・理解し・点になる**」です。

　僕は今まで1300人以上の生徒さんたちを「個別」に「子別」で指導してきました。そしてその多くが偏差値を「短期間で」「急

激に」上げました。**2か月ほどで偏差値が20ぐらい上がることはザラにあります**。これを可能にするのは奇跡ではありません。いくつかの「客観的かつ科学的な事実と方法論」です。

事実①

高校までの5教科の勉強はチョロイのです。なぜなら「**答え**」があるから。答えがあるということは、必ず解法があり、解法があるということは、それをピッチ刻んで学習さえすればいいだけだということです。

もちろん、これから先の人生には答えはありません。だから、努力したからといって正解にたどり着けるかわからないし、その時々で答えは変わります。だから、努力した人が報われるとは限りません。

でも、高校までの5教科の勉強はそうではありません。「答え」があり、「解法」が何百年も変わらずに存在します。だから、大学入試までは**「才能」や「能力」や「運」なんて関係ない**んです。つまり、努力が成果に反映されやすく、自分に自信をつけたければ最適のものなんです。

事実②

人間は周囲の環境に強く影響を受けます。よって、あなたのことを否定し、可能性を見出さない友人や親や指導者が周囲にいれば、あなたはその影響を強く受けます。

一方で、あなたの可能性を見出し、励ましてくれる友人や親や指導者が周囲にいれば、あなたはその影響を強く受けます。つまり、あなたが今よりも成長したければ、

物事に対して否定的で、斜に構えるのではなく、あるいはあなたを否定する人ではなく、肯定し、一緒に成長しようとする前向きな集団といたほうが、よりポジティブな影響を受けられるのです。

事実③

入試における学力の判定は、「**時間制限のある**」「**筆記テスト**」で行われます。あなたがどう理解しているかを口頭で聞かれるとか、脳の内部を解析されるということではありません。

事実④

理解したことは知識として定着しやすいのは事実。ただし、理解していなくて**ただ暗記したことが、その知識に対する親和性を高めて、好奇心につながったり理解しやすくなったり、より知識の定着度が深まるのも事実**。

例えば、幼少期に「スーパーマン」という言葉を何度も聞いたことがあり、単語としては知っていても意味がわからない状態でも、「スーパー」と「マン」という言葉に対する親和性が高いので、中学で「super」及び「man」という単語が出てきたときに、その意味の理解がしやすくなります。

以上の事実から導き出される「方法論」は以下となります。

方法論

「答え」を知り、その解法を「覚える」。それを何度も何度も、忘れても再び覚えるつもりで数をこなす。（＊講義や授業を聞いて、教えてもらう必要はありません。すなわち、「授業」よりも「テスト」重視。**「参考書」よりも「問題集」重視**。）ちなみに、この考え方は、アメリカの大学院（ビジネススクール）などでもそ

うです。理論も大事ですが、それ以上にケーススタディで概要を把握し、実践していくという方法論)。

また、常に時間を意識し(特に、過去問での時間配分は要注意)、ボクサーが1R3分を意識して練習メニューを組むように、実践においては1問につき長くても5〜15分程度しか時間はとれないので、常にタイマーを身近に置いて勉強します。

一つの英単語や公式を覚えるにしても、1分や数十秒をタイマーでセットし、それ以内に覚える!というタイムプレッシャーをかけてゲーム感覚でやるなど工夫しましょう。

覚えたこと(インプットしたこと)を瞬間的に「テストとして【紙に書く】(アウトプット)」という作業を行いましょう。覚えるときに紙に書くよりも、それを思い出すという作業のときに紙に書くほうが断然いいです。なぜなら、本番のテストでもそうだからです。本番のテストは、覚えた内容を思い出そうという工程であり、紙に書くわけですから、必ずその練習は「同じこと」をするべきですよね。それをしていないから、「本番で実力を発揮できなかった」となるわけです。

そんなわけで、この坪田塾の教材シリーズは、上記の事実と方法論に即した形で学習指導を行うことで、短期間で偏差値が上がるようにしている坪田塾の指導を「紙」だけではなく「動画」で受けられるというものにしました。近くに坪田塾がなくても、同じ方法論で同じ効果があるというものを目指しています。

1本の動画は、だいたい5分程度で構成されています。実際、坪田塾でも、「1度の指導は5分以内」を意識しています。とい

うのも、**一度にインプットできるのは5分程度**であり、それ以上の時間インプットしても、その内容をアウトプットするのは不可能だからです。

　必要最低限の情報で、かつ、**最重要な情報のみを「知識」としてインプット**し、答えを把握し、**紙にテスト形式でアウトプット**する。これをくり返し行うだけで、大学入試に必要な実力はつきます。

　あとは、これにより、さまざまな知識に対する「親和性」(親しみ)ができたら、興味が出てきたことに対して調べればいいでしょう。でも、それは趣味としてやってください。

　理解することが「大切か？」と言われれば、そりゃ大切に決まっています。でも、**なんでも「順番が大切」**です。まずは覚えましょう。これが必要な知識なのだというものをインプットし、すぐにアウトプットできるようになりましょう。

　それから、「理解」の段階に入ります。きっと、**学校の授業などが「グングン頭に入ってくる」**ようになりますよ。ぜひ、予習でも活用してください。人間、「聞いたことがある！」とか「知ってる！」とか、そういうものに対して俄然(がぜん)興味が湧くようにできています。

　さやかちゃんだって、「いい国作ろう平安京！」とか言っていましたが、「少なくとも、聞いたことある！」という状態だったことが大切なんですよね。いや、もちろん、「いい国作ろう平安京」は思いっきり間違ってるんですけどね（笑）

　いずれにせよ、いきなり、全部理解してやろうというのではなく、まずは最低限必要な知識に触れてそれを短時間でインプット・アウトプットを行うだけで、一気に「知れた」という状態にできます。そしたら、成績なんて簡単に上がります。

　あなたは、天才です。やればやった分だけ伸びます。めちゃくちゃ地頭(じあたま)いいのです。ぜひぜひ、「私、先生が言う通りもともと頭がよかったみたいー！」と喜びの声を聞かせてください。楽しみにしていますね！

坪田塾　塾長

坪田信貴

ビリギャル式
坪田塾の英文法ノート

もくじ

まずは文法用語をサラっと覚えちゃおう
プロローグ

文法用語、これだけは覚えよう！

1	名詞	→	「主語になりうるもの」	18
2	主語	→	「文の主人公」	18
3	文	→	「ピリオドから次のピリオドの間」	18
4	動詞	→	「主語の動作、状態、存在をあらわすもの」	19
5	修飾語	→	「飾るもの」	19
6	形容詞	→	「名詞を修飾するもの」	20
7	副詞	→	「名詞以外を修飾するもの」	20
8	接続詞	→	「文と文をつなぐもの」	21
9	補語	→	「主語とイコールになるもの」	22
10	目的語	→	「一般動詞の直後にくる名詞で、"〜を""〜に"と訳すもの」	23
11	前置詞	→	「名詞の前に置くもの」	23
12	節	→	「単語の集まりで主語と動詞があるもの」	23
13	句	→	「単語の集まりで主語と動詞がないもの」	24

問題を解きながら英文法を効率マスター！

メインチャプター

第1章 名詞
- **1** 複数形 ……………………… 26
- **2** 不可算名詞と集合名詞 ……… 28
- **3** その他の名詞 ………………… 30
- 　演習問題 ……………………… 32

第2章 動詞
- **4** be 動詞と一般動詞 …………… 34
- **5** 自動詞と他動詞 ……………… 38
- 　演習問題 ……………………… 40

第3章 文型
- **6** 第1文型と第2文型 …………… 42
- **7** 第3文型と第4文型 …………… 44
- **8** 第5文型（1） ………………… 48
- **9** 第5文型（2） ………………… 50
- 　演習問題 ……………………… 52

第4章 時制
- **10** 現在形と現在進行形 ………… 54
- **11** 過去形と過去進行形 ………… 56
- **12** 未来形 ………………………… 58
- **13** 現在完了形 …………………… 60

- 　演習問題 ……………………… 64

第5章 助動詞
- **14** will／can／may ……………… 66
- **15** must／have to ……………… 70
- **16** should／would ……………… 72
- 　演習問題 ……………………… 74

第6章 否定
- **17** not を使う否定 ……………… 78
- **18** not 以外の否定 ……………… 80
- **19** 全否定と部分否定 …………… 82
- **20** その他の否定 ………………… 86
- 　演習問題 ……………………… 88

第7章 疑問詞
- **21** 疑問代名詞 …………………… 92
- **22** 疑問形容詞 …………………… 94
- **23** 疑問副詞 ……………………… 96
- **24** 間接疑問文 …………………… 98
- **25** その他の疑問文 ……………… 100
- 　演習問題 ……………………… 104

9

第8章　受動態
- 26 能動態と受動態、否定文 …… 106
- 27 進行形、完了形、助動詞の受動態 …… 108
- 28 by を用いない受動態 …… 110
- 演習問題 …… 112

第9章　比較級と最上級
- 29 -er と more …… 114
- 30 as を使った文 …… 118
- 31 原級の文 …… 120
- 32 比較級、原級で最上級を表す …… 124
- 演習問題 …… 126

第10章　動名詞
- 33 役割と訳し方 …… 128
- 演習問題 …… 130

第11章　不定詞
- 34 名詞・形容詞的用法 …… 132
- 35 副詞的用法 …… 134
- 36 動詞＋目的語＋ to 不定詞・不定詞の否定 …… 136
- 37 it ～ for to...構文など …… 138
- 演習問題 …… 140

第12章　分詞
- 38 現在分詞、過去分詞 …… 142
- 39 文と文をつなぐ …… 144
- 演習問題 …… 146

第13章　関係代名詞
- 40 主格、目的格 …… 148
- 41 所有格 …… 150
- 演習問題 …… 152

第14章　前置詞
- 42 前置詞の意味 …… 154
- 43 前置詞句 …… 158
- 演習問題 …… 160

第15章　接続詞
- 44 等位接続詞と従属接続詞 …… 162
- 45 名詞節と副詞節 …… 166
- 46 接続詞を用いた表現 …… 168
- 演習問題 …… 170

本編の書き込み欄に入る用語や要点をチェック！

チェック&インプット

① [**名詞**] 複数形 ……………………… 174
② [**名詞**] 不可算名詞と集合名詞 ……… 174
③ [**名詞**] その他の名詞 ……………… 175
④ [**動詞**] be 動詞と一般動詞 ………… 176
⑤ [**動詞**] 自動詞と他動詞 …………… 177
⑥ [**文型**] 第 1 文型と第 2 文型 ……… 178
⑦ [**文型**] 第 3 文型と第 4 文型 ……… 179
⑧ [**文型**] 第 5 文型（1） …………… 180
⑨ [**文型**] 第 5 文型（2） …………… 180
⑩ [**時制**] 現在形と現在進行形 ……… 181
⑪ [**時制**] 過去形と過去進行形 ……… 182
⑫ [**時制**] 未来形 ……………………… 182
⑬ [**時制**] 現在完了形 ………………… 183
⑭ [**助動詞**] will / can / may ………… 184
⑮ [**助動詞**] must / have to …………… 184
⑯ [**助動詞**] should / would …………… 185
⑰ [**否定**] not を使う否定 …………… 186
⑱ [**否定**] not 以外の否定 …………… 186
⑲ [**否定**] 全否定と部分否定 ………… 187
⑳ [**否定**] その他の否定 ……………… 188
㉑ [**疑問詞**] 疑問代名詞 ……………… 188
㉒ [**疑問詞**] 疑問形容詞 ……………… 189
㉓ [**疑問詞**] 疑問副詞 ………………… 189
㉔ [**疑問詞**] 間接疑問文 ……………… 190
㉕ [**疑問詞**] その他の疑問文 ………… 190

㉖ [**受動態**] 能動態と受動態、否定文 ……… 191
㉗ [**受動態**]
　　進行形、完了形、助動詞の受動態 ……… 192
㉘ [**受動態**] by を用いない受動態 ……… 192
㉙ [**比較級と最上級**] -er と more ……… 193
㉚ [**比較級と最上級**] as を使った文 …… 194
㉛ [**比較級と最上級**] 原級の文 ………… 195
㉜ [**比較級と最上級**]
　　比較級、原級で最上級を表す ………… 196
㉝ [**動名詞**] 役割と訳し方 …………… 196
㉞ [**不定詞**] 名詞・形容詞的用法 …… 197
㉟ [**不定詞**] 副詞的用法 ……………… 198
㊱ [**不定詞**]
　　動詞+目的語+ to 不定詞、不定詞の否定 … 198
㊲ [**不定詞**] it ～ for to...構文など …… 198
㊳ [**分詞**] 現在分詞、過去分詞 ……… 199
㊴ [**分詞**] 文と文をつなぐ ………… 200
㊵ [**関係代名詞**] 主格、目的格 ……… 201
㊶ [**関係代名詞**] 所有格 ……………… 202
㊷ [**前置詞**] 前置詞の意味 …………… 202
㊸ [**前置詞**] 前置詞句 ………………… 204
㊹ [**接続詞**] 等位接続詞と従属接続詞 … 204
㊺ [**接続詞**] 名詞節と副詞節 ………… 205
㊻ [**接続詞**] 接続詞を用いた表現 …… 206

この本の構成と使い方

1 例題を解く

まずは例題の問題を解いて、答え合わせをしましょう。自分は「何がわかっていて、何がわかっていないのか」、ここで把握しましょう。例題を見て答えがわかるものには番号に○を、わからないものには×を、わかるかどうかわからないものには△をつけてください。×のものについては、動画を見て理解します。

各テーマの最重要項目を厳選してありますので、すべて学習して、苦手をなくしましょう。

チャレンジ：初めてこのテーマに挑戦した日付を書きましょう。
マスター：このテーマの内容を完全に理解した日付を書きましょう。
動画確認：動画授業を見た日付を書きましょう。

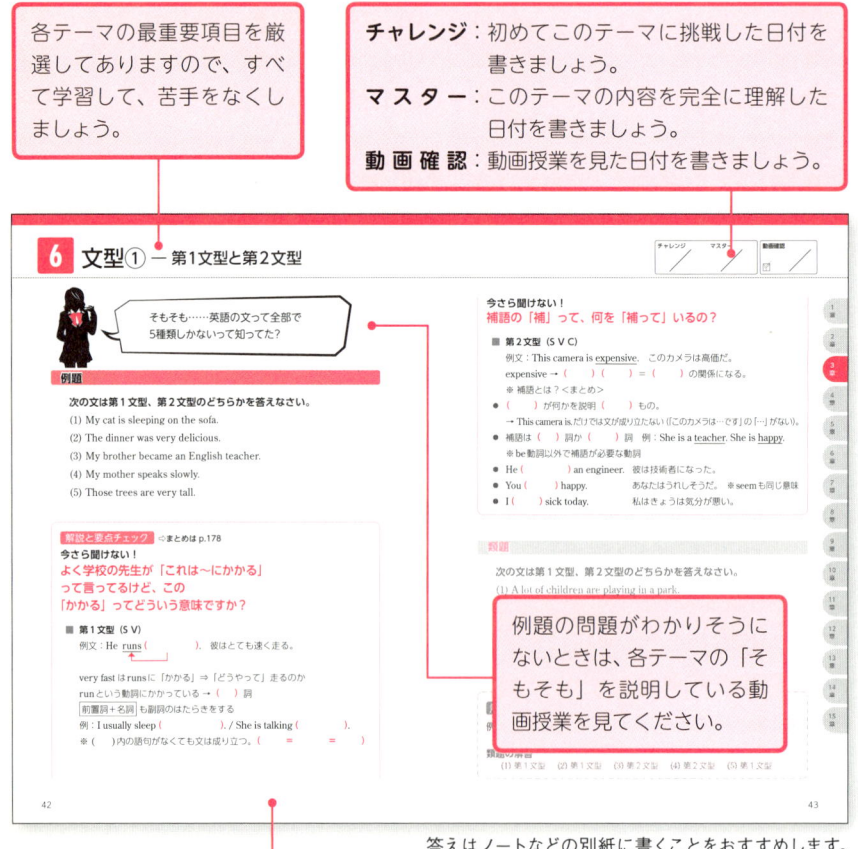

例題の問題がわかりそうにないときは、各テーマの「そもそも」を説明している動画授業を見てください。

答えはノートなどの別紙に書くことをおすすめします。

「解説と要点チェック」の空欄は、動画を"見ながら"ではなく、内容を"覚えるつもり"で動画を見た後に記入してください。

2　動画をチェック

テーマごとの内容を解説した「動画授業」を、「youtube」で見ることができます。下記より、特設ページにアクセスしてください。

http://www.kadokawa.co.jp/sp/gakusan/tsubota/movie/

1本の動画は短いものは3分以内、ほとんどが約5分です。すっきり理解できて、暗記が楽になります。苦手なテーマの理解を深めましょう。

画像はイメージです。

※動画ならびに動画掲載のページは、予告なく変更および中止をする場合がございます。あらかじめご了承ください。

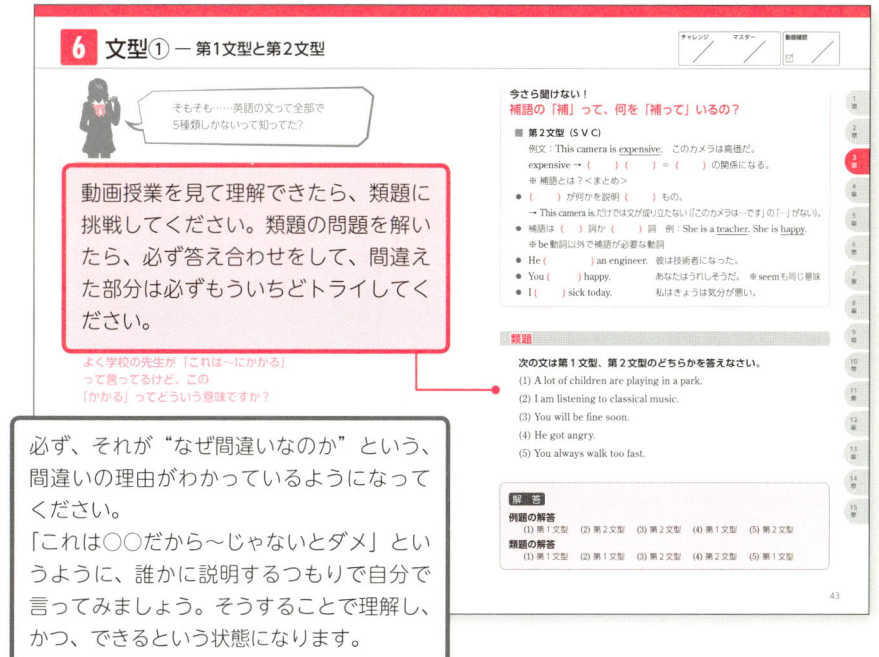

動画授業を見て理解できたら、類題に挑戦してください。類題の問題を解いたら、必ず答え合わせをして、間違えた部分は必ずもういちどトライしてください。

よく学校の先生が「これは〜にかかる」って言ってるけど、この「かかる」ってどういう意味ですか？

必ず、それが"なぜ間違いなのか"という、間違いの理由がわかっているようになってください。
「これは○○だから〜じゃないとダメ」というように、誰かに説明するつもりで自分で言ってみましょう。そうすることで理解し、かつ、できるという状態になります。

3 要点チェック

動画で解説している要点をもういちどチェックしたいときは、p.174 〜 p.206 を見てください。各テーマで覚えておくべき内容が整理されています。

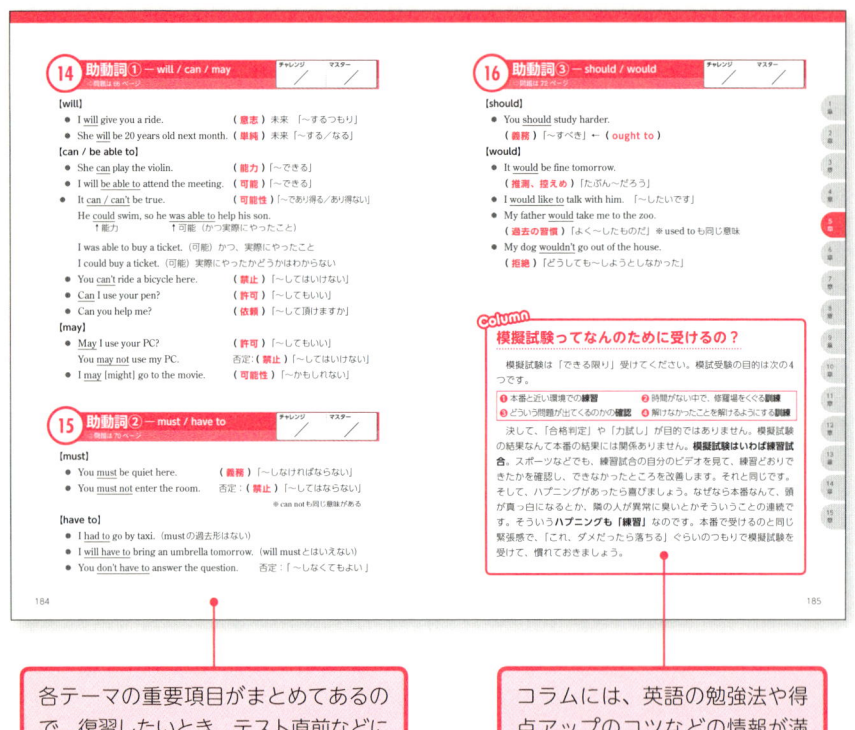

各テーマの重要項目がまとめてあるので、復習したいとき、テスト直前などに確認したいときなどに役立ちます。

コラムには、英語の勉強法や得点アップのコツなどの情報が満載です。

4 演習問題で力だめし

各章の章末の演習問題で、自分がしっかり理解できているか、力だめしを行ってください。ただ、漠然と問題を解くのではなく、目標時間内にできるように集中してください。

①の目標時間と②のかかった時間には大きな差があってもOK。むしろ、最初のうちは2つの間に大きな差があるのがふつうです。この作業を繰り返しているうちに、自分がどれくらいの時間で問題を解くことができるのかを、正確に推測することができるようになるのです。

①目標時間を設定
演習問題全体をざっと見て、何分で解けるかを予測し、その時間に0.8をかけた時間を目標時間の欄に数字を書きます（5分で解けると思ったら「5分×0.8＝4分」が目標時間）。

②かかった時間を書く
問題を解く際に時間を計り、実際に何分かかったのかを書きます。

予測時間に0.8をかけるのは「タイムプレッシャー」というものです。脳に負荷をかけることで、集中力と処理スピードのUPにつながります。テストには必ず"制限時間"があるので、ふだんからより短い時間で解く、という癖をつけましょう。

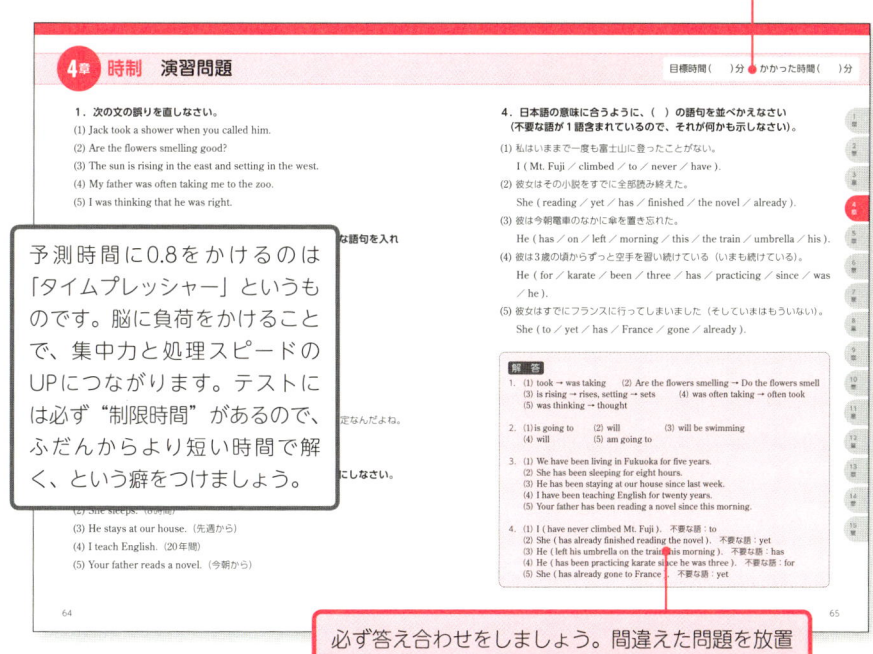

必ず答え合わせをしましょう。間違えた問題を放置するのはもっとも効率の悪いやり方です。間違えた問題は必ず授業動画や例題に戻ってチェック！

＋α　英文法に少し自信がついてきたら……

　本書によって受験に必要な英文法の基礎を知り、少し英文法を理解したという自信がついてきたら、英文法以外の分野も力をつけていきましょう。

　坪田先生や中野先生のコラムでは、長文読解やリスニングなど、英文法以外の英語の勉強法についてもアドバイスしています。ぜひ参考にしてください。

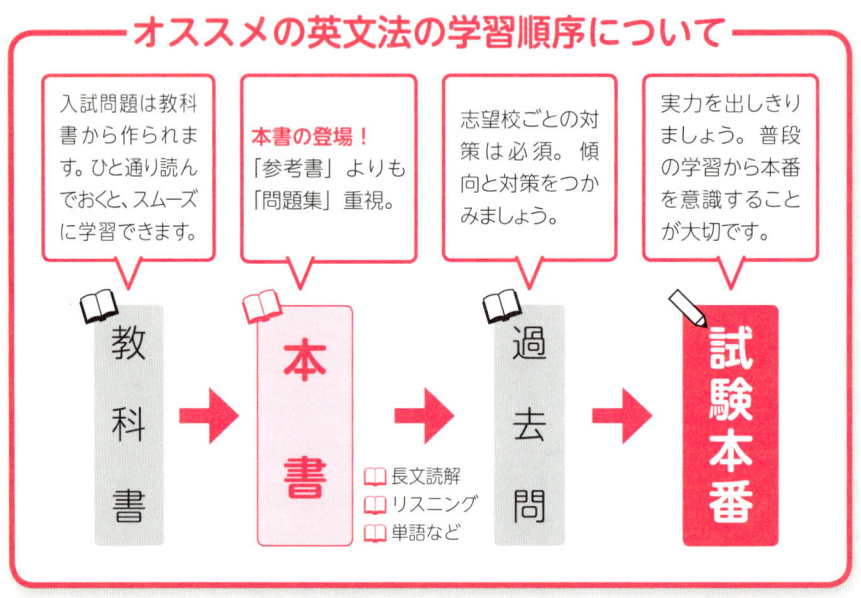

　本書で苦手をつぶしたら基礎はマスター。あとは長文読解などの他分野と志望校ごとの過去問研究に励むのみ。本番での成功をお祈りします！

まずは文法用語をサラッと覚えちゃおう

プロローグ

文法用語、これだけは覚えよう！

1. 名　詞 → 「主語になりうるもの」
2. 主　語 → 「文の主人公」
3. 　文　 → 「ピリオドから次のピリオドの間」
4. 動　詞 → 「主語の動作、状態、存在をあらわすもの」
5. 修飾語 → 「飾るもの」
6. 形容詞 → 「名詞を修飾するもの」
7. 副　詞 → 「名詞以外を修飾するもの」
8. 接続詞 → 「文と文をつなぐもの」
9. 補　語 → 「主語とイコールになるもの」
10. 目的語 → 「一般動詞の直後にくる名詞で、"〜を""〜に"と訳すもの」
11. 前置詞 → 「名詞の前に置くもの」
12. 節　　 → 「単語の集まりで主語と動詞があるもの」
13. 句　　 → 「単語の集まりで主語と動詞がないもの」

文法用語、
これだけは覚えよう！

　みんなが嫌いなのは、実は「英語」ではなく、「文法用語」だったりする。文法用語の意味がよくわからないまま、辞書や参考書を読めって言われても……。

　でも、とりあえず知っておかなければならない基本用語はたったの13個。まず、次の13個の用語の意味を、<u>見ないでスラスラ言えるように</u>なろう！

1　名詞 ⇒「 主語になりうるもの 」

　英語の文には必ず、「主語」（だれが、何が）と「動詞」（どうした）がありますが、**名詞は「主語」になりうる詞です**（「名詞」「動詞」などの「詞」とは、「ことば」という意味です）。つまり、「主語なら必ず名詞である」ということです（※名詞は、主語以外にもなりますが、とりあえずはこのように覚えてください）。

2　主語 ⇒「 文の主人公 」

　たとえば、I love cats. という文。この文の主人公は「cats」ではなく、もちろん「I」ですよね。"私は" 猫が大好き」なんです。**「主語」の「主」は、「主人公」の「主」**と覚えましょう。ちなみに、主語になるのは、もちろん「名詞」でしたよね。

3　文 ⇒「 ピリオドから次のピリオドの間 」

　英語の文は、必ず最後にピリオドで終わります。もちろん、

疑問文は"?"、感嘆文は"!"で終わりますが、下についている"．"はピリオドってことにしましょう。で、次の文が始まって、最後はまたピリオドで終わる。だから、「文とは何か?」といえば、これでいいのです。そして、英語の文には「必ず」主語と動詞があります。

4　動詞 ⇒「 主語の動作、状態、存在をあらわすもの 」

「動詞ってなに?」とたずねると、たまに、「"動くもの"」と答える人がいます。で、「じゃあ、carも動詞じゃん」と混乱していた子がいましたが、そうではありません。たとえば、下の3つの文の下線部が動詞なんですが、こんな感じです（ちなみにcarは名詞です）。

① **He <u>walks</u> fast.**　→　**動作**（「歩く」という動作を表しています）

② **He <u>likes</u> dogs.**　→　**状態**（「～が好き」という心の状態ですね）

③ **He <u>is</u> in his room.**　→　**存在**（「～にいる」、物が主語なら「ある」です）

5　修飾語 ⇒「 飾るもの 」

　修飾の「飾」は「かざる」ですね。たとえばcute girlの例。girlだけだとどんな女の子かがわからないので、「かわいい」という意味の「cute」で「girl」という名詞を飾っている、ということです。「修飾する」=「飾る」と考えてくれればいいです。
　このように、**他の言葉を飾る言葉を「修飾語」**と呼びます。

6　形容詞 ⇒ 「 名詞を修飾するもの 」

　はい、もうわかりますね。「cute girl」の「cute」のように、**名詞を飾っているもの（「説明している」でもいいです）** を「形容詞」と呼びます。

　学校の先生が、「この "cute" は "girl" という名詞に "かかっている"」的なことを言っているのを聞いたことはありませんか？　その「かかっている」が、この「修飾している（＝飾っている、説明している）」という意味です。

　これからは、「かかる」とか「修飾する」という言葉を聞いたら、「説明する」と思ってくれればいいです。

7　副詞 ⇒ 「 名詞以外を修飾するもの 」

　副詞がわからない人は多いです。実は私も、副詞が何なのか、はじめて知ったのは27歳のときでした（実話）。

　たとえば、She walks <u>fast</u>. という文があります。日本語では「彼女は速く走る」という意味です。下線部の「fast」という単語、意味は「速く」ですが、「速く→走る」という関係になっているのがわかりますか？（矢印の前が修飾するもの、後ろが修飾されるものです）

　さっき、形容詞のところで、「cute girl」「かわいい→女の子」というふうに、「cute」は「girl」を修飾する形容詞だと学びましたが、この「fast（速く）」は、「walks（歩く）」を修飾しています。「walks」は動詞でしたね。つまり、「fastは動詞を修飾している（説明している）語」で、これを「副詞」と呼びます。じゃあ、「副詞」は「動詞を修飾する」と覚えればいいじゃん、と思いますよね？

次に、この文を見てください。

She walks very fast.

fastの前に「very」という単語が付きました。veryの意味は「とても」ですね。文の意味は「彼女はとても速く走る。」となります。

ではこの、「very（とても）」って、どこに「かかっている」と思いますか？「とても→速く」という関係になっていましたね。つまり「very」は「fast」を修飾しているということです。さっき「fast」は「walks」を修飾する「副詞」と言いました。**副詞を説明するのも、副詞**なんです。

ちなみに、さっきから出てきている「cute girl」の前に「very」を付けると「very cute girl（とてもかわいい女の子）」になりますが、この場合の「very」は何を修飾していると思いますか？

「とても→かわいい」という関係なので、このveryは「cute」という形容詞を修飾しています。なんと、veryやfastは、動詞だけでなく副詞も形容詞も修飾するということです。つまり、副詞が何を修飾するかというと、**「名詞以外全部」**なんです。

8　接続詞 ⇒「 文と文をつなぐもの 」

名前のとおり、**「接続する言葉」**ですね。では接続詞は何と何を接続するのか。

ここでは、**「文と文」**と覚えてください。英語の文に必ずある2つのものとは何でしたっけ？　覚えてますか？　それは、前に出てきた2つ、「主語」と「動詞」です。英語の文には、必ずこの2つがあります。

たとえば、 I like cats but she likes dogs.

みたいな文。この文は「but」の左右に、主語と動詞のセットが1つずつありますね？（I likeとShe likesですよ）　このbutが「接続詞」です。では、

When I was a child, I couldn't swim.

はどうでしょうか？

意味は「私は子どものとき、泳げなかった」ですが、ここでは「when（〜のとき）」が、その後ろにある主語、動詞の2つのセット〈I wasとI (couldn't) swim〉をつないでいます。このように、接続詞は文の最初にくることもあります。

ちなみに、正確にはこの「主語と動詞のセット」は「文」ではないですよね？　正しくはこれを「節」と呼びます（次ページ参照）。でも、とりあえずここでは「文と文」と言っておきます。

9　補語 ⇒ 「 主語とイコールになるもの 」

次の文を見てください。

I am a student. 「私は学生です」

補語は「student」です。この文の主語は「I」ですね。補語とは、「主語が何なのか」を表す言葉です。つまり、ここでは「私」は「学生」なので、a studentが補語です。つまり、「主語（私）＝補語（学生）」という関係が成り立っていますね。この "am" のような、「状態」とか「存在」を表す動詞を「be動詞」といいます。この文での意味は「〜である」です。

be動詞のほかにも、「become（〜になる）」や「looks（〜のように見える）」という動詞の後ろにも補語がきます。たとえば

She looks happy. 「彼女は幸せそうに見える」

「彼女=幸せ」という関係になっていますよね。ちなみに、**補語になるのは、名詞と形容詞**です。

10　目的語 ⇒ 「一般動詞の直後にくる名詞で、"〜を"、"〜に"と訳すもの」

ちょっと長いですねえ（笑）。目的語とは、たとえば、

She loves cats. の "cats" みたいなものです。「彼女は猫が大好き」の「猫が」に当たる部分。一般動詞（be動詞以外の動詞のことです）"love"の直後にきている名詞ですね。これが目的語です。補語とゴッチャになる人もいますが、**目的語は、主語とイコールの関係になりません**。「私=猫」ではないですよね。違いは明確です。

11　前置詞 ⇒ 「名詞の前に置くもの」

例を挙げると、on／in／at／of／from／to／underなどです。前置詞の後ろには、必ず名詞がきます。

例：on the table／in the kitchen など。

「名詞の前に置く詞（ことば）」で、「前置詞」
と覚えてください。

12　節 ⇒ 「単語の集まりで主語と動詞があるもの」

「節」が「句」と違うのは、単語の集まりのなかに主語と動詞が含まれるということです。

たとえば、さっき接続詞のところで使った例文、

I like cats but she likes dogs.

を見てください。この文の "I like cats" と "she likes dogs" をそれぞれ「節」と呼びます。**両方とも、主語と動詞を含んでいる単語の集まり**ですね。

この文は、2つの節が "but" という接続詞でつながっているということです（162ページ参照）。では、こちらの文はどうでしょうか。

When I was a child, I couldn't swim.

この文は、接続詞が文の最初にありますね。"I was a child" と "I couldn't swim" がそれぞれ節です。接続詞が文の最初にある場合は、節と節のあいだにカンマを書くのがふつうです。

13　句 ⇒「単語の集まりで主語と動詞がないもの」

文法用語のラストです。

たとえば、

I study in the library.　「私は図書館で勉強する」

という文があります。主語は "I"、動詞は "study" ですね。句とは、その後ろにある "in the library"（図書館で）のように、意味を成す単語の集まりのことを言います。"in" は前置詞でしたね。このように、**句は、「前置詞＋名詞」（「前置詞句」といいます）の形になる**ことがよくあります。

問題を解きながら英文法を効率マスター！

メインチャプター

- 第1章　名詞
- 第2章　動詞
- 第3章　文型
- 第4章　時制
- 第5章　助動詞
- 第6章　否定
- 第7章　疑問詞
- 第8章　受動態
- 第9章　比較級と最上級
- 第10章　動名詞
- 第11章　不定詞
- 第12章　分詞
- 第13章　関係代名詞
- 第14章　前置詞
- 第15章　接続詞

1 名詞① ― 複数形

そもそも……なんで英語の名詞には「複数形」なんてあるの?

例題

次の名詞を複数形にしなさい。

(1) book

(2) bus

(3) potato

(4) leaf

(5) deer

(6) country

(7) tooth

(8) dish

解説と要点チェック ⇨まとめは p.174

今さら聞けない!
複数形にするとき
penやbookは"s"をつけるだけなのに、
dishやboxはなんで"es"なの?

- esをつける名詞 → 名詞の最後が( )、( )、( )、( )、( )
- 語尾が「子音+y」のとき → (   ) をとって (   )
  例:family → (   )
  ※注意 boy → (   ) 「母音+y」だからboiesではない
- 名詞の最後が「f」や「fe」のとき → 語尾が(   )
  例:wolf → (   )

- 名詞の形が変わるもの　例：tooth →（　　　）
- 名詞の形が変わらないもの（単複同形）
  例：fish →（　　　）　sheep →（　　　）※群れをなす動物が多い

類題

次の名詞を複数形にしなさい。

(1) foot

(2) child

(3) sheep

(4) knife

(5) box

(6) city

(7) woman

(8) boy

(9) watch

(10) dish

(11) mouse

解　答

例題の解答
(1) books　　(2) buses　　(3) potatoes　　(4) leaves
(5) deer　　(6) countries　(7) teeth　　　(8) dishes

類題の解答
(1) feet　　(2) children　(3) sheep　　(4) knives
(5) boxes　 (6) cities　　(7) women　　(8) boys
(9) watches (10) dishes　 (11) mice

2 名詞② ― 不可算名詞と集合名詞

> **例題**
>
> 次の名詞のなかで、不可算名詞を選びなさい。
> table　coffee　Tokyo　fish　money　peace　Mt. Fuji　cake

解説と要点チェック　⇨まとめは p.174

今さら聞けない！

どれが可算名詞でどれが不可算名詞って、どうすればわかるの？

（1）不可算名詞 → 1個、2個と、（　　　）ことができない名詞

　　例：（　　　）（　　　）（　　　）（　　　）（　　　）

　　→ 名詞の前に（　　　）をつけることはできない。

　　→「多くの」、「たくさんの」と言いたいときは（　　　）を使う。

　　※可算・不可算両方に使える→（　　　　　）

（2）不可算名詞の種類

　① Mike / Japan / Monday / Mr. Saito などは

　　→（　　　）名詞：（　　　　　）を表す

　　例：cat →（　　　）名詞　　タマ →（　　　）名詞

　② water / wine / iron / gold / sugar などは →（　　　）名詞（　　　　　）

　　※I found a lot of beautiful （　　　　　）.

　　　This statue is made of （　　　　　）. ←（　　　）名詞

　③ happiness / anger / justice / freedom などは →（　　　）名詞（　　　　　）

　　※これらの名詞はすべて（　　　）扱い

今さら聞けない！

「パン」とか「ケーキ」って数えられるのに、なんで不可算名詞なの？

（3）数えられない名詞を数えるとき

「入れ物」編：a (　　　) of wine　a (　　　) of milk
「かたち」編：a (　　　) of cake　a (　　　) of paper
　　　　　　a (　　　) of bread
「例外」編　：a (　　　) of information
※複数のときは？「コップ2杯の水」→ two (　　　) of water
※「ごはん1杯」→ a (　　　) of rice

(4) 集合名詞

例：family / class / team

- My family (　　) very large. …1つのかたまりとして使うとき
- My family (　　) all Dragons fans. …そのメンバーのことを言うとき
  ※ Police (　　) looking for a suspect.　※suspect：容疑者

類題

次の文の（　）内から、正しいものを選びなさい。

(1) There is (many ／ much) coffee in the pot.

(2) I saw (a lot of ／ much) deer in the park.

(3) Our teacher always gives us (many ／ much) homework.

(4) Police (is ／ are) looking for a murderer.
　　※murderer：殺人犯

(5) I am very thirsty. I want (a piece of ／ a glass of) water.

解　答

例題の解答
　table以外全部

類題の解答
　(1) much　　(2) a lot of　　(3) much　　(4) are　　(5) a glass of
　※ (3) homeworkは不可算名詞　※ (4) policeは常に複数扱い

3 名詞③ — その他の名詞

> **例題**

次の文の誤りを直しなさい。

(1) She usually wears contact lense.

(2) I changed train at Shinjuku.

(3) Mathematics are very interesting for me.

解説と要点チェック ⇨ まとめは p.175

今さら聞けない！

**socksとかshoesって
sがついてるから複数形なんでしょ。
片方だけの場合はなんて言うの？**

(1) 2つで1つのペアになっているものは常に複数形

メガネ（　　　　）　　ズボン（　　　　）

靴（　　　　）　　　　靴下（　　　　）

手袋（　　　　）　　　ハサミ（　　　　）など

※「1足の靴」→ a（　　　）of shoes

　「2足の靴」→ two（　　　）of（　　　）

(2) 慣用的に常に複数形になるもの（この3つだけ覚える！）

- 「〜と友だちになる」　　I make（　　　　）with him.
- 「電車を乗り換える」　　He change（　　　　）at Shibuya.
- 「握手する」　　　　　　They shook（　　　　）with each other.

　※注意！「マナー／作法」We need to learn good（　　　　）

(3) 教科、学問を表す名詞は複数形でも単数扱い

数学（　　　　）　　経済学（　　　　）

政治学（　　　　）　言語学（　　　　）

物理学 (　　　) など
例：Mathematics (　　) interesting.

類題

次の文の誤りを直しなさい。

(1) Where is the scissor ?

(2) We will change train at the next station.

(3) I saw a shoes on the street.

(4) I made friend with many people from other countries.

(5) You need to learn good manner to attend the party.

(6) Physics are very difficult for me.

解答

例題の解答
　(1) lense → lenses
　(2) train → trains
　(3) are → is

類題の解答
　(1) is → are　scissor → scissors　　(2) train → trains
　(3) shoes → shoe / a → a pair of　　(4) friend → friends
　(5) manner → manners　　(6) are → is

1章 名詞　演習問題

1．次の各文の誤りを直しなさい。

(1) Many childs are playing in the garden.

(2) Did you see many deers in the park?

(3) I bought several tomatos at the supermarket.

(4) He went fishing and caught some fishes.

(5) I'd like to visit a lot of citys during the trip.

2．次の文の（　）内から、正しいものを選びなさい。

(1) There are many (people ／ peoples) in the theater.

(2) My mother has been to Kyoto many (times ／ time).

(3) I don't have a lot of (times ／ time) to talk with you.

(4) These houses are made of (wood ／ woods).

(5) Could you pass me two (pieces ／ piece) of (bread ／ breads)?

**3．次の名詞を数えるときに適切な表現を右から選び、
　　適切な形にして（　）に入れなさい。**

(1) a (　　　) of milk

(2) two (　　　) of wine

(3) some (　　　) of bread

(4) a (　　　) of pants

(5) several (　　　) of paper

cup
pair
sheet
glass
slice

目標時間（　　）分／かかった時間（　　）分

4．次の文の（　）にあてはまる語句を下から選び、必要に応じて適切な形にして入れなさい。

(1) We moved (　　) (　　) into the house.
(2) He gave me some (　　) of information.
(3) She bought two (　　) of wine at the shopping center.
(4) Those doors are made of (　　).
(5) We put our books into three (　　).

iron / piece / many / furniture / milk / box / a lot of / bottle

---

解　答

1. (1) child → children
   (2) deers → deer
   (3) tomatos → tomatoes
   (4) fishes → fish
   (5) citys → cities

2. (1) people　※「人種」「民族」という意味では可算名詞
   (2) times　※「回数」という意味のときは可算名詞
   (3) time　※「時間」という意味のときは不可算名詞
   (4) wood
   (5) pieces, bread

3. (1) cup
   (2) glasses
   (3) slices
   (4) pair
   (5) sheets

4. (1) a lot of, furniture
   (2) pieces
   (3) bottles
   (4) iron
   (5) boxes

4 動詞① ― be動詞と一般動詞

そもそも……動詞の過去形って、speak→spokeとか不規則動詞があって超面倒なんだけど、全部「ed」をつければいいのに、なんで不規則動詞なんてあるの?

例題

次の文の( )内から、正しいものを選びなさい。

(1) My mother and I (is ／ am ／ are) big fans of this actor.
(2) (Is ／ Are ／ Do) your brother taller than you?
(3) Everybody (like ／ likes) our teacher.
(4) (Do ／ Does ／ Is) your father play golf?
(5) One of my friends still (don't ／ doesn't) have a smart phone.

解説と要点チェック　⇨まとめはp.176

今さら聞けない!
be動詞の「ビー」って、アルファベットの「B」じゃないの?

動詞……主語の(　　)、(　　)、(　　)を表すもの。

【be動詞】
- 原形は(　　)、主語がI→(　　)、三人称単数→(　　)、youの複数→(　　)に変化
- 過去形 is / am→(　　)、are→(　　)
- 主語の(　　)や(　　)を表す。
  例:I <u>am</u> hungry. (　　)「おなかがすいている」という状態
  　　He <u>is</u> in his room. (　　)「部屋にいる」→ 存在
- 否定文→be動詞の直後に(　　)を置く。
  例:The store <u>is not</u> open yet.
- 疑問文→(　　)と(　　)をひっくり返す。

34

例：<u>Are you</u> hungry?

今さら聞けない！
一般動詞って、なんで三単現のとき「s」がつくの？
ていうか、「三単現」ってなんなの？

【一般動詞】
定義：「be動詞以外の動詞」
- 主語が三人称単数のときの現在形
  → 動詞の後ろに（　,　）をつける。
- 過去形（規則変化）
  例：walk →（　　　）
- 過去形（不規則変化）
  例：speak →（　　　）、take →（　　　）、make →（　　　）
- 主語の（　　　）や（　　　）を表す。
  例：He <u>runs</u> every day.（　　　）
  　　I <u>like</u> American movies.（　　　）
- 否定文
  ① 主語がI、you、複数 → 動詞の直前に（　　　）を置く
  ② 主語が三人称単数 →（　　　）を置く
- 疑問文
  ① 主語がI、you、複数 → 文頭に（　　　）
  ② 主語が三人称単数 → 文頭に（　　　）
- 過去形 → 疑問文、否定文ともに、
  主語が単数でも複数でも →（　　　／　　　）
  ※疑問文や否定文では主語が三人称単数でも、doesやdidを用いたら動詞の後ろにsはつけない。
  例：He doesn't <u>like</u> natto. Does she <u>play</u> tennis?

類題と解答は次のページ

類題

次の文の（ ）内から、正しいものを選びなさい。

(1) My family (isn't ／ don't ／ aren't) Giants fans.

(2) Each student (has ／ have) 5 minutes to speak.

(3) My father (don't ／ doesn't) (watch ／ watches) science fiction movies.

(4) (Do ／ Does) your brother (help ／ helps) you with your homework?

解　答

例題の解答
　(1) are　(2) Is　(3) likes　※every～は単数扱い　(4) Does
　(5) doesn't　※one of ～sは単数扱い「～のうちのひとつ」

類題の解答
　(1) aren't　(2) has　(3) doesn't　watch　(4) Does　help

Column
魚介類の日本人、肉の欧米人？

次の英語を日本語にしてください。
①shellfish　②starfish　③blowfish　④jellyfish　⑤crawfish

　答えは、①貝　②ヒトデ　③フグ　④クラゲ　⑤ザリガニです。
え？　全部fish（魚）がつくけど、フグ以外は魚じゃないって？　確かに、ヒトデなんて全然魚じゃないのに、英語だとstarfish、「星の魚」です。なんとテキトーなネーミング！

では、今度は次の英語を日本語にしてください。
①beef　②pork　③chicken　④mutton　⑤lamb

　答えは、①牛肉　②豚肉　③鶏肉　④羊肉　⑤子羊の肉です。
え？　牛とか豚に「肉」をつけただけだって？　確かに、羊の肉なんて、英語だと大人と子どもで違う単語なのに、日本語では「○肉」のように、後ろに「肉」をつけるだけ。なんとテキトーなネーミング！

　これは、僕は食文化の違いによるものだと思います。昔から魚介類を食べてきた日本人（貝塚とかありますよね）と、肉をメインで食べてきた欧米人（明治時代まで、日本人は豚も牛も食べませんでした）。それぞれ自分たちにとって身近な食材は、一つひとつにちゃんと名前をつけました。逆に、それ以外のものの名前は、できるだけシンプルに（つまりテキトーに）なったんじゃないかと思うんです。
　言葉も食も、文化の一部ってことなんですよね。

では、応用問題です。次の単語の意味は？
①cattle　②bull　③cow　④ox　⑤calf

　答えは全部「牛」ですが、それぞれ意味がちがいます。辞書で調べてみましょう。彼らの食にとって、いかに「牛」が重要かがわかりますよね。

5 動詞② ― 自動詞と他動詞

> **例題**

次の英文の動詞は他動詞、自動詞のどちらか。答えなさい。

(1) I slept in the bed.　　(2) He likes video games.
(3) She is listening to music.　(4) The children are playing in the park.
(5) I will play soccer this afternoon.

解説と要点チェック　⇨まとめは p.177

今さら聞けない！
自動詞と他動詞の違いが、
実はまだ100パーセントはわかってないかも……

下の2文の動詞をくらべてみよう。意味は「私は彼を見た」で同じだけど……

　　　I　saw　　　　　him.
　　　I　looked　　at　him.

① 他動詞…動詞の（　　）に（　　）を置く必要があるもの。
　　　　　これを（　　）と呼ぶ。「〜を」、「〜に」にあたるもの。
　　　　　例：like / love / make / have など　　× I like.
② 自動詞…その必要がない動詞。動詞だけで文を終わることができる。
　　　　　　例：sleep / walk / speak など　　○ I sleep.
　　※自動詞の後ろについているものは、目的語ではなく（　　　）。
　　ケース１：I go（ to school ）every day.　動詞の直後に（　　）+名詞

　　ケース２：He speaks fast.　　　　　動詞の後ろに（　　）

※ 自動詞と他動詞の両方の意味をもつものも、実は結構たくさんある。
　例：read
　He is reading a book.　彼は本を読んでいる。　　→（　　）動詞

I seldom read.　　　私はめったに読書をしない。　→（　）動詞

※動詞を辞書で調べるときは、必ず自動詞か他動詞かをチェックする！

類題

次の英文を日本語に訳し、下線部の動詞が他動詞、自動詞のどちらかを答えなさい。

(1) He moved his car.

(2) I moved to Hokkaido with my parents.

(3) Don't look at your smartphone when you are eating.

(4) I ate some snacks after lunch.

(5) We talked about this plan.

(6) We discussed this plan.

(7) The car stopped in front of my house.

(8) He stopped his car in front of my house.

解答

例題の解答
(1) 自動詞　　(2) 他動詞　　(3) 自動詞　　(4) 他動詞　　(5) 他動詞

類題の解答
(1) 彼は車を移動した。　　　　　　　　　　　他動詞
(2) 私は両親と北海道に引っ越した。　　　　　自動詞
(3) 食べているときはスマートフォンを見ないように。　自動詞
(4) 私は昼食後にすこしお菓子を食べた。　　　他動詞
(5) 私たちはこの計画について話し合った。　　自動詞
(6) 私たちはこの計画について話し合った。　　他動詞
注：discussは他動詞。よくdiscuss aboutとaboutをつけてしまうので気をつけよう！
(7) その車は私の家の前でとまった。　　　　　自動詞
(8) 彼は私の家の前で車をとめた。　　　　　　他動詞

2章 動詞　演習問題

1．次の文の（　）に、必要に応じて適切な前置詞を入れなさい。不要な場合は×と答えなさい。

(1) I agree (　　) your idea.

(2) He wants to talk (　　) you.

(3) She decided to marry (　　) him.

(4) I apologized (　　) my mother.

(5) You can't enter (　　) the room.

2．次の英文を日本語に訳しなさい。

(1) He runs very fast.

(2) He runs a coffee shop.

(3) I moved my desk.

(4) She moved to Osaka.

3．次の各文のカッコ内の語のうち、正しいものを選びなさい。

(1) My girlfriend (doesn't ／ didn't) call me last night.

(2) Every student (has ／ have) to go to school tomorrow.

(3) I went (to school ／ school) early this morning.

(4) I (met ／ met with) my teacher at the station.

(5) When you called me, I was (watching at ／ watching) TV.

4．次の文の誤りを直しなさい。

(1) We arrived to the station at 10 o'clock.

(2) Can I talk you?

(3) She didn't answer to my question.

(4) I like listening the radio now.

(5) If you have any questions, please contact with us.

(6) We will leave to Paris tomorrow.

(7) I waited you for 30 minutes.

(8) She resembles with her father very much.

> **解 答**
>
> 1. (1) with もしくは to
>   (2) with もしくは to
>   (3) ×
>   (4) to
>   (5) ×
>
> 2. (1) 彼はとても速く走る。
>   (2) 彼は喫茶店を経営している。
>   (3) 私は机を動かした。
>   (4) 彼女は大阪に引っ越した。
>
> 3. (1) didn't
>   (2) has
>   (3) to school
>   (4) met
>   (5) watching
>
> 4. (1) arrived to the station → arrived at [in] the station
>   (2) talk you → talk to [with] you
>   (3) to が不要
>   (4) listening the radio → listening to the radio
>   (5) with が不要
>   (6) leave to → leave for
>   (7) waited you → waited for you
>   (8) with が不要

6 文型① ― 第1文型と第2文型

> そもそも……英語の文って全部で5種類しかないって知ってた？

例題

次の文は第1文型、第2文型のどちらかを答えなさい。

(1) My cat is sleeping on the sofa.

(2) The dinner was very delicious.

(3) My brother became an English teacher.

(4) My mother speaks slowly.

(5) Those trees are very tall.

解説と要点チェック　⇨まとめは p.178

今さら聞けない！
よく学校の先生が「これは〜にかかる」
って言ってるけど、この
「かかる」ってどういう意味ですか？

■ 第1文型（S V）

例文：He runs (　　　　　). 彼はとても速く走る。

very fast は runs に「かかる」⇒「どうやって」走るのか
run という動詞にかかっている → (　　　) 詞
前置詞＋名詞 も副詞のはたらきをする

例：I usually sleep (　　　　　). / She is talking (　　　　　).
※(　　) 内の語句がなくても文は成り立つ。(　　　＝　　　＝　　　)

チャレンジ	マスター	動画確認
/	/	✓

今さら聞けない！
補語の「補」って、何を「補って」いるの？

■ 第2文型（S V C）

例文：This camera is <u>expensive</u>.　このカメラは高価だ。

expensive → （　　）（　　）＝（　　）の関係になる。

※ 補語とは？＜まとめ＞

- （　　）が何かを説明（　　）もの。
  → This camera is. だけでは文が成り立たない（「このカメラは…です」の「…」がない）。
- 補語は（　　）詞か（　　）詞　例：She is a <u>teacher</u>. She is <u>happy</u>.
  ※ be動詞以外で補語が必要な動詞
- He （　　）an engineer.　彼は技術者になった。
- You （　　）happy.　　　あなたはうれしそうだ。　※seemも同じ意味
- I （　　）sick today.　　私はきょうは気分が悪い。

類題

次の文は第1文型、第2文型のどちらかを答えなさい。

(1) A lot of children are playing in a park.

(2) I am listening to classical music.

(3) You will be fine soon.

(4) He got angry.

(5) You always walk too fast.

解　答

例題の解答
　(1) 第1文型　　(2) 第2文型　　(3) 第2文型　　(4) 第1文型　　(5) 第2文型

類題の解答
　(1) 第1文型　　(2) 第1文型　　(3) 第2文型　　(4) 第2文型　　(5) 第1文型

7 文型② ― 第3文型と第4文型

例題

（1）、（2）は（ ）内の適切なものを選び、（3）、（4）は
（ ）内を並べ替えたとき、2文目の（ ）に不足する1語を入れなさい。

(1) I (talked / talked with) my teacher.

(2) They are (discussing about / discussing) their future plan.

(3) 彼は私に、何冊かの本をくれた。

　　He (books / me / gave / some).

　　= He (　　　　　　　　　　　) me.

(4) I (daughter / a birthday present / bought / my).

　　= I (　　　　　　　　　　　　　　　) my daughter.

解説と要点チェック　⇨まとめは p.179

今さら聞けない！

「give型」とか「buy型」って、何ですか？

■ 第3文型（S V O）

たとえば「make」という動詞は、直後に必ず「〜を」「〜に」にあたる
（　　　）が必要。

I make. という文は成立しない。

例：I make songs.
　　　　　　↑目的語。必ず（　　）詞

※目的語が必要な動詞 →（　　）動詞（「他のものが必要な」動詞）

■ 第4文型（S V O O）

例：I gave him a book.

giveという動詞は、後ろに「(　　　)」と「(　　　)」の
2つの名詞（目的語）が必要。

　　I　gave　him　　　a book.　　「何を」……（　　　）目的語
　　S　 V　　O（　　）O（　　）　「だれに」……（　　　）目的語

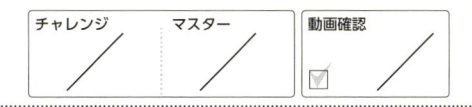

【第4文型になる動詞】

give / bring / lend / pay / sell / send / show
teach / tell / pass / buy / make / find / cook

※すべて、「〜に…する、してあげる」という意味の動詞

■ **第4文型は、第3文型に書き換えられる**

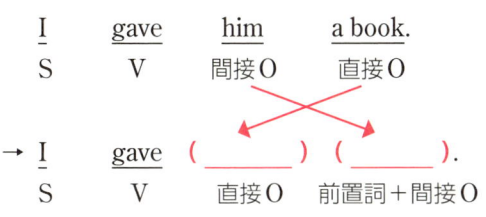

I	gave	him	a book.
S	V	間接O	直接O

→ I　　gave　（　　　　）（　　　　）．
　　S　　V　　　直接O　　前置詞＋間接O

※「give型」と「buy型」の使い分け

- I gave a book (　　) him.　……行為の相手が必要
- I bought a book (　　) him.　……行為の相手が不要

類題と解答は次のページ

45

類題

1．次の文の（　）内から、正しいものを選びなさい。

(1) She (married ／ married with) a famous singer.

(2) We (reached to ／ reached) the station at five o'clock.

(3) I tried to (speak ／ speak to) the person in English.

(4) All students (attended ／ attended to) the school festival.

(5) She (arrived at ／ arrived) the hotel ten minutes ago.

2．次の文の（　）に、to か for のどちらかを入れなさい。

(1) My mother made me some pancakes.

　→ My mother made some pancakes (　　　) me.

(2) The police officer showed us the way to the station.

　→ The police officer showed the way to the station (　　　) us.

(3) I will find you a good seat.

　→ I will find a good seat (　　　) you.

解　答

例題の解答
 (1) talked with　　(2) discussing
 (3) 並べかえ：gave me some books, 2文目の（　）：to
 (4) 並べかえ：bought my daughter a birthday present, 2文目の（　）：for

類題の解答
1. (1) married　　(2) reached　　(3) speak to　　(4) attended　　(5) arrived at
2. (1) for　　(2) to　　(3) for

Column 突然ですが「あなたは神を信じますか？」

Do you believe in God?
これを日本語に訳すとどうなるでしょう。

「あなたは神を信じますか？」でしょうか。確かに、英語のテストならこれで正解です。

でも、実際に僕たちはこんな言い方はしませんよね。たぶん、「神さまって信じる？」くらいじゃないでしょうか（どちらの言い方にしても、いきなり友だちにこんなことを聞かれたら、引くでしょうね　笑）。

「神様って信じる？」と言うとき、主語の「あなたは」は、どこに行ったんでしょうか？　ほかにも、I am hungry. を日本語に訳せば「私はお腹がすいています」、ですが、実際の会話では「私はお腹がすいています」って言う人はまずいないと思います。「お腹すいた〜」とか「ハラ減った〜」ですよね。いちいち主語の「私は」を言いません。

日本語は基本的に主語を省略する言語です。これは、良い悪いというより、「言わなくてもわかるでしょ」という、いわゆる「以心伝心」が日本の文化だってこともあると思います。

ただ、主語（誰が）をはっきり言わないことが原因で起こる誤解もあるだろうし、第一、主語を明確にしないというのは、責任の所在を曖昧にしてしまいますよね。これも日本特有の「なあなあ主義」的な文化ということでしょうか。

実は、私たちがうっかり動詞に「三単現の s」をつけ忘れるのも、たぶん日本語が「主語と動詞の関係」を意識しなくていい言語だからかもしれませんね。

I love you. を「愛してる」と訳すと、「誰が」だけでなく「誰を」までなくなっちゃう。まあでもこれは、文化というより「わかるだろ、みなまで言わせるなよ」という、ただの照れ隠しですね。

8 文型③ — 第5文型 (1)

> **例題**

（1）、（2）は日本語に訳し、（3）は日本語の意味に合うように並べかえなさい。

(1) We named our daughter Sachiko.
(2) He found the question easy.
(3) ドアを開けっ放しにしないでください。
　　(the ／ open ／ leave ／ don't ／ door).

解説と要点チェック ⇨ まとめは p.180

今さら聞けない！
第4文型と第5文型の違いが、いまいちよくわかりません！

■ 第5文型（S V O C）

例1：We call him Jack.　私たちは彼をジャックと呼びます。
<u>We</u>　<u>call</u>　<u>him</u>　<u>Jack</u>.
　S　　V　　O　（　）　　「O =（　）」の関係
　　　　　　　「〜を」「〜と」

① ОをCのままにする
　He always (　　　) the door (　　　). ※ leave も同じ意味
　彼はいつも<u>ドアを開けたままにする</u>。

② OをCにする
　That news (　　　) us (　　　).
　その知らせは<u>私たちを喜ばせた</u>。（私たちを幸せな状態にした）

③ OがCだと思う、わかる
　I (　　　) the question (　　　).
　私は<u>その質問が簡単だとわかった</u>。

48

類題

（1）〜（3）は日本語に訳し、（4）は日本語の意味に合うように並べかえなさい。

(1) We must keep the table clean.

(2) I think your idea very interesting.

(3) Please leave me alone.

(4) 彼女の笑顔を見るとうれしくなる。

(happy ／ makes ／ smile ／ us ／ her).

解答

例題の解答
(1) 私たちは娘をサチコと名づけた。
(2) 彼はその質問が簡単だとわかった。
(3) Don't leave the door open.

類題の解答
(1) 私たちはそのテーブルをきれいにしておかなければならない。
(2) 私は、君の考えはとてもおもしろいと思う。
(3) 1人にしておいてください。（ほうっておいてください）
(4) Her smile makes us happy. 直訳は「彼女の笑顔は私たちを幸せにする」

9 文型④ — 第5文型 (2)

例題

（1）、（2）は日本語に訳し、（3）は日本語の意味に合うように並べかえなさい。

(1) I saw you talking to her.

(2) I heard him say "Yes."

(3) 先生は私たちにたくさんの英単語を書かせる。

　　Our teacher (a lot of ／ write ／ makes ／ words ／ English ／ us).

解説と要点チェック ⇨ まとめは p.180

今さら聞けない！
「知覚動詞」ってなんですか？

- 知覚動詞 「知覚」……見る、聞く、触る
  「視覚」：see, (　　　), (　　　) など
  I saw him (　　　) a car.　私は彼が車に乗るのを見た。
  ※ I saw him getting in a car. との違いは？ → ～ ing「～しているのを」
  「聴覚」：hear, (　　　)
  I heard him (　　　) a song.　彼が歌を歌うのを聴いた。
  「触覚」：(　　　)
  I felt the air (　　　).　空気を冷たく感じた。

- 使役動詞「Oに～させる」
  My mother (　　　) me clean the bathroom.
  母は私にトイレの掃除をさせた。
  ※受動態 →「be動詞＋過去分詞＋（　　）＋動詞の原形」
  例1：私はトイレの掃除をさせられた。
  　→ I (　　) (　　) (　　) clean the bathroom.
  例2：私はマンガを読んでいるところを見られた。
  　→ I (　　) (　　) (　　) be reading a comic.

類題

（1）、（2）は日本語に訳し、（3）は日本語の意味に合うように並べかえなさい。

(1) We saw a big bird flying in the sky.

(2) I heard him speaking on TV.

(3) 彼らは1日に18時間働かされた。

　　They (work ／ a day ／ made ／ to ／ were ／ 18 hours).

解 答

例題の解答
　(1) 私はあなたが彼女と話しているのを見た。
　(2) 私は彼が「はい」と言うのを聞いた。
　(3) Our teacher (makes us write a lot of English words).

類題の解答
　(1) 私たちは大きな鳥が空を飛んでいるのを見た。
　(2) 私は彼がテレビで話しているのを聞いた。
　(3) They (were made to work 18 hours a day).

3章 文型　演習問題

1．次の文は第2文型、第3文型のどちらかを答えなさい。

(1) She will become a good mother.

(2) I got a letter from my friend.

(3) He got angry because I was late.

(4) These questions seem easy.

(5) His father has two cars.

2．次の文の誤りを直しなさい。

(1) Don't enter to this room. They are listening music now.

(2) He mentioned about your name.

(3) I will speak my teacher.

(4) He showed his room for me.

(5) My grandfather bought to me a new bicycle.

3．次の文を第3文型（S V O）に書き換えなさい。

(1) I will find you a good seat.

(2) You need to send him an e-mail by tomorrow.

(3) He finally told me the truth.

(4) Can you lend me 1,000 yen?

(5) My grandmother cooked me dinner.

4．次の文のうち、(1)、(2) は日本語の意味に合うように並べかえ、(3)〜(5) は（　）に適語を入れなさい。

(1) 私は、彼の言葉が本当だということがわかった。

(his ／ true ／ found ／ I ／ words).

目標時間（　　）分／かかった時間（　　）分

(2) 彼女は、彼がギターを弾いているのを聴いた。

(playing ／ him ／ she ／ to ／ the ／ guitar ／ listened).

(3) 彼は母親に、買い物に行かせられた。

He (　　　) (　　　) (　　　) go shopping by his mother.

(4) 彼の話を聞くと、私はいつも眠くなる。

His stories always (　　　) (　　　) (　　　).

(5) 彼は大勢の人に通りを歩いているところを目撃された。

He (　　) (　　) (　　) (　　) (　　) along the street by many people.

解答

1. (1) 第2文型　(2) 第3文型　(3) 第2文型　(4) 第2文型　(5) 第3文型

2. (1) enter to → enter, listening → listening to
   (2) mentioned about → mentioned
   (3) speak → speak to
   (4) for → to
   (5) bought to me → bought me

3. (1) I will find a good seat <u>for</u> you.
   (2) You need to send an e-mail <u>to</u> him by tomorrow.
   (3) He finally told the truth <u>to</u> me.
   (4) Can you lend 1,000 yen <u>to</u> me?
   (5) My grandmother cooked dinner <u>for</u> me.

4. (1) I found his words true.
   (2) She listened to him playing the guitar.
   (3) was made to
   (4) make me sleepy
   (5) was seen to be walking

10 時制① ― 現在形と現在進行形

> そもそも……
> 現在形は「いま」のことじゃない!?

例題

次の文の（　）内から、正しいものを選びなさい。

(1) She moved to Okinawa last year and (lives ／ is living) in Naha now.

(2) I (have ／ am having) a lot of time to sleep.

(3) He (has ／ is having) breakfast now.

(4) He (plays ／ is playing) soccer three times a week.

(5) My cell phone rang while you (drive ／ are driving) a car.

(6) This flower (smells ／ smelling) sweet.

解説と要点チェック　⇨まとめは p.181

今さら聞けない！

「～している」は、全部「現在進行形」だと思ってました！

「現在形」……日常的に、（　　　）として、（　　　）して行うこと
「現在進行形」……いまこの瞬間に、（　　　）に行っていること

　例：I live in Nagoya.
　　　私は名古屋に（　　　　　）。＝（　　　）
　　　I am living in Nagoya.
　　　私は名古屋に（　　　　　）。＝（　　　）な住居
　　　He is playing the piano.　彼はピアノを（　　　　　）。
　　　He plays the piano.　彼はピアノを（　　　　　）。
　　　※進行形にできない動詞……「　　動詞」

① (　　) …like / love / hate / want
② (　　) …see / hear / smell / taste / feel
③その他の状態…have / know / exist / belong / resemble
※進行形・注意する例
　　The bus is stopping.　バスは停止 (　　　　　　)。
　　She was dying in his arms.
　　彼女は彼の腕の中で (　　　　　　)。

類題

次の文の ( ) 内から、日本語の意味を表すように、よりふさわしいものを選びなさい。

(1) 彼女は母親に似ている。
　　She (is resembling ／ resembles) her mother.
(2) 彼との会話を楽しんでいますか？
　　(Are you having ／ Do you have) a good conversation with him?
(3) 私は幽霊はいないと思います。
　　I don't think ghosts (are existing ／ exist).
(4) その犬は、私の靴の臭いをかいでいます。
　　The dog (smells ／ is smelling) my shoes.
(5) 彼は転職して、今は大阪で働いています。
　　He changed his job and now he (works ／ is working) in Osaka.

解　答

例題の解答
　　(1) is living　(2) have　(3) is having　(4) plays　(5) are driving　(6) smells
類題の解答
　　(1) resembles　(2) Are you having　(3) exist　(4) is smelling　(5) is working

11 時制② ― 過去形と過去進行形

例題

次の文の（ ）内の語を、過去形または過去進行形に書き換えなさい。

(1) I usually (walk) to school.

(2) He (go) to the concert last night.

(3) She (watch) TV when I called her.

解説と要点チェック ⇨まとめはp.182

今さら聞けない！

「～していた」は、全部「過去進行形」だと思ってました！

過去形……過去に（　　）的に（　　）して行ったこと。
過去進行形……過去のある（　　）に、（　　）に行っていたこと。

　例1：私はふだん、バスで学校に行っていた。
　　　　I usually (　　　) to school by bus.
　　　　通学 → 毎日くり返した行動。

　例2：電話が鳴ったとき、私は本を読んでいた。
　　　　I (　　　　　) a book when the phone rang.
　　　　電話が鳴った瞬間に → 読んでいた。

類題

次の ( ) 内の語句を、過去形または過去進行形に書き換えなさい。

(1) When I was a little child, I (go) to a swimming school once a week.

(2) What (you do) last week?

(3) What (you do) at 8:30 last night?

(4) I (watch) a movie when you came to my house.

(5) Yesterday, I (go) to the movie with my father.

(6) I'm sorry I couldn't answer your call. I (take) a bath at that time.
※ answer your call：あなたからの電話に出る

(7) I couldn't answer the phone because I (take) a shower then.

(8) I (live) in Shizuoka when I was five years old.

(9) He usually (go) for a walk every morning.
※ go for a walk：散歩に行く

(10) When I visited her house, she (cook) dinner.

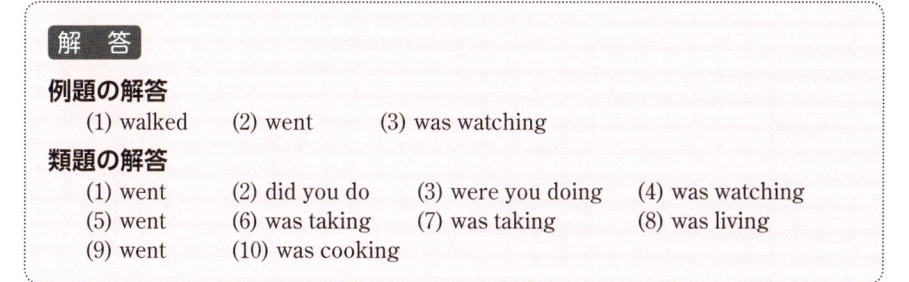

解答

例題の解答
- (1) walked
- (2) went
- (3) was watching

類題の解答
- (1) went
- (2) did you do
- (3) were you doing
- (4) was watching
- (5) went
- (6) was taking
- (7) was taking
- (8) was living
- (9) went
- (10) was cooking

12 時制③ — 未来形

例題

次の（ ）内から、正しいものを選びなさい。

(1) His daughter (is going to ／ will) be twenty next year.

(2) I have a headache. I (am going to ／ will) go to a drugstore to get some medicine.

(3) It's getting cold outside. It (is going to ／ will) snow tonight.

(4) What (are you going to ／ will you) do this summer?

解説と要点チェック ⇨まとめは p.182

今さら聞けない！
「will」と「be going to」の違い、実はよくわかりません。

I will be twenty next year. → （　　　）未来
I will call you tonight. → （　　　）未来（　　　）決めたこと
I am going to visit Kyoto tomorrow.
　　　→ 未来の（　　　）、前から（　　　）
It's getting dark outside. I think it is going to rain in the afternoon.
　　　→ いまの状況から（　　　）して、「雨が降りそうだ」と（　　　）している。

※未来進行形……未来の一時点で進行中の行為
　例：I will（　　　）（　　　　　）English in Japan at this time next year.
　訳：来年の今頃は日本で英語を教えているでしょう。

類題

次の（　）に will か be going to のどちらかを入れて文を完成しなさい。

(1) It's raining. I (　　) bring my umbrella.

(2) The sunset is very beautiful. It (　　) be fine tomorrow.

(3) "I missed the last train." "OK, I (　　) give you a ride."
　　※ give 人 a ride：車で送る

(4) Sorry, I have another plan tonight. I (　　) go to a movie with my girlfriend.

(5) We (　　) have a birthday party this weekend. My brother (　　) be five years old next week.

(6) "Do you have any plan for the vacation?"
　　"I (　　) visit my friend in Australia."

(7) I overslept and missed my train. I (　　) be late and I think my girlfriend (　　) be angry.　※ oversleep：寝坊する

(8) Our teacher gave us a lot of homework and it takes forever to finish it. The students (　　) stay home this weekend to finish it.
　　※ It takes forever.：永遠に終わらない（時間がとてもかかる）

(9) "I'm so thirsty." " OK, I (　　) get something to drink."

(10) I (　　) be a college student next year, and I (　　) live in an apartment by myself.

解答

例題の解答
(1) will　(2) will　(3) is going to　(4) are you going to

類題の解答
(1) will　(2) is going to　(3) will　(4) am going to
(5) are going to, will　(6) am going to　(7) am going to, is going to
(8) are going to　(9) will　(10) will, am going to

13 時制④ — 現在完了形

例題

次の ( ) に、日本語の意味に合うように過去形もしくは現在完了形を用いて適切な語句を入れなさい。

(1) 私はきのう財布をなくした。
　　I ( ) my wallet yesterday.

(2) 彼はこの会社に10年間勤めています。
　　He ( ) for this company for ten years.

(3) 私はまだ宿題を終えていない。
　　I ( ) my homework ( ) .

(4) 私の父はオーストラリアに2回行ったことがある。
　　My father ( ) to Australia two times before.

(5) 彼女は（結果的に）看護師になった。
　　She ( ) a nurse.

解説と要点チェック　⇨ まとめは p.183

今さら聞けない！
「完了形」の意味って全部で4つしかないんだけど、全部言えるかっていうと……言えません。

- 現在完了形の形
  …(/) ＋動詞の( ) 形
- 完了形が表す意味 → 4つだけ覚える！
  ① I have seen that movie before.「〜したことがある」
  …【 　 】
  ※否定文：「いちども〜したことがない」
  → I have ( ) seen that movie.

② I <u>have lived</u> in Hokkaido for 20 years.「ずっと〜している」
　…【　　　】
　※「いまも〜し続けている」という意味を強調する場合
　→ 現在完了進行形（　　　／　　　）＋（　　　　）＋動詞の（　　　　）
　例：私は20年間柔道をやっている。（いまもけいこをしている）
　I（　　）（　　）（　　　　　）judo for twenty years.

③ He（　　　）finally（　　　　）the president of that country.
　「結果的に〜になった／〜した」
　…【　　　】

④ She has（　　　　）finished her homework.
　「すでに〜し終えた」…【　　　　】
　※否定文：「まだ〜し終えていない」
　→ She（　　　　）finished her homework（　　　）.
　※完了形は過去の時間を表す表現と一緒に使えない
　　（yesterday / last week など）
　✕ I have seen that movie last week.
　◯ I saw that movie last week.

類題と解答は次のページ

類題

日本語の意味に合うように、( ) に適切な語句を入れなさい。

(1) 彼女は部屋の鍵をなくしてしまった。(そしていまももっていない)

　　She (　　　) her room key.

(2) 彼は5歳のときからずっとギターを弾いている。

　　He (　　　) the guitar (　　　) he was five.

(3) 私は人生で一度も車をもったことがない。

　　I (　　　) a car in my whole life.

(4) 私の母は、去年2度京都へ行った。

　　Last year my mother (　　　) to Kyoto twice.

(5) もうあの映画、見た？

　　(　　　) you (　　　) that movie (　　　)?

(6) 彼女は昨夜、帰宅中に部屋の鍵をなくした。

　　She (　　　) her room key on her way home last night.

解答

例題の解答
- (1) lost
- (2) has worked
- (3) haven't finished, yet
- (4) has been
- (5) has become

類題の解答
- (1) has lost
- (2) has been playing, since
- (3) have never had
- (4) went
- (5) Have, seen [watched], yet
- (6) lost

Column
"I"は「私」とは限らない

英語の"I"を、あなたはどう訳していますか？「私」でしょうか？ 英語のテキストでは、だいたい「私」と訳されていると思います。"I"は「一人称」でしたね。

でもたとえば、5歳の男の子が"I want to eat ice cream."と言っているのを聞いて、まさか「私はアイスクリームが食べたいです」と言っているとは思いませんよね。「僕、アイスクリームが食べたい」くらいにしないと絶対おかしい。

16歳の高校生がお母さんに向かって言う"I"は、「俺」かもしれません。ほかに、一人称を表す日本語にはどんなものがあるでしょうか。
　私、僕、俺、わたくし、オイラ、わて、おいどん（鹿児島？）、それがし、吾輩、拙者、あちき、朕（天皇や皇帝）、自分、本官（警察官）……

このように、日本語の一人称は、その人の年齢や性別、職業、相手との関係などによって変化します。さらに、一人称をどのように言うかで、その人が相手との関係性をどう捉えているのかもわかるのです。たとえば、初対面の相手がいきなり「俺さー」と言ってきたら、「なれなれしいなあ」って、ちょっとムカっときちゃいますよね。
　その点英語は"I"だけで楽ちんですね。大人も子どもも、年下も年上も、先生も生徒もみんな"I"です。

こう考えると、「日本語は面倒だなー」なんて思うかもしれませんが、これは私たち日本人が、昔から常に相手と自分との関係性を大事にしてきたからだともいえます（儒教の国で上下関係を重要視する中国語ですら、"I"は「我」だけです）。

二人称（英語の"you"）もそうですね。英語では"you"だけですが、日本語にはたくさんあります。挙げられるだけ挙げてみてください。おもしろいですよ。

4章 時制　演習問題

1．次の文の誤りを直しなさい。

(1) Jack took a shower when you called him.

(2) Are the flowers smelling good?

(3) The sun is rising in the east and setting in the west.

(4) My father was often taking me to the zoo.

(5) I was thinking that he was right.

2．日本語の意味に合う未来形になるように、（　）に適切な語句を入れなさい。

(1) （雲行きがあやしいのを見て）明日は雨だね。
　　It (　　) rain tomorrow.

(2) （電話が鳴るのを聞いて）いいよ、僕が出るよ。
　　OK, I (　　) answer the phone.

(3) 明日の今頃は、海で泳いでいるころだ。
　　We (　　) at the beach at this time tomorrow.

(4) 君の息子さんも来年で3つだね。
　　Your son (　　) be three next year.

(5) （「週末何するの？」と聞かれて）友だちと映画を見に行く予定なんだよね。
　　I (　　) see a movie with my friend.

3．次の文を、（　）内の語句を加えて現在完了進行形の文にしなさい。

(1) We live in Fukuoka.（5年間）

(2) She sleeps.（8時間）

(3) He stays at our house.（先週から）

(4) I teach English.（20年間）

(5) Your father reads a novel.（今朝から）

4．日本語の意味に合うように、（ ）の語句を並べかえなさい
（不要な語が1語含まれているので、それが何かも示しなさい）。

(1) 私はいままで一度も富士山に登ったことがない。

I (Mt. Fuji / climbed / to / never / have).

(2) 彼女はその小説をすでに全部読み終えた。

She (reading / yet / has / finished / the novel / already).

(3) 彼は今朝電車のなかに傘を置き忘れた。

He (has / on / left / morning / this / the train / umbrella / his).

(4) 彼は3歳の頃からずっと空手を習い続けている（いまも続けている）。

He (for / karate / been / three / has / practicing / since / was / he).

(5) 彼女はすでにフランスに行ってしまいました（そしていまはもういない）。

She (to / yet / has / France / gone / already).

解答

1. (1) took → was taking (2) Are the flowers smelling → Do the flowers smell
   (3) is rising → rises, setting → sets (4) was often taking → often took
   (5) was thinking → thought

2. (1) is going to (2) will (3) will be swimming
   (4) will (5) am going to

3. (1) We have been living in Fukuoka for five years.
   (2) She has been sleeping for eight hours.
   (3) He has been staying at our house since last week.
   (4) I have been teaching English for twenty years.
   (5) Your father has been reading a novel since this morning.

4. (1) I (have never climbed Mt. Fuji).　不要な語：to
   (2) She (has already finished reading the novel).　不要な語：yet
   (3) He (left his umbrella on the train this morning).　不要な語：has
   (4) He (has been practicing karate since he was three).　不要な語：for
   (5) She (has already gone to France).　不要な語：yet

14 助動詞① — will / can / may

> そもそも……助動詞って「動詞を助ける」って書くけど、それってどういう意味ですか？

例題

次の文の（　）に、日本語の意味に合うように助動詞を入れなさい。

(1) 彼は明日、日本を発つ。

　　He (　　) leave Japan tomorrow.

(2) 彼女は3つの言語を話すことができる。

　　She (　　) speak three languages.

(3) 彼の話が本当のはずがない。

　　His stories (　　) be true.

(4) トイレに行ってもいいですか？

　　(　　) I go to the bathroom?

(5) 今週末パーティに行くかもしれない。

　　I (　　) go to the party this weekend.

解説と要点チェック ⇨ まとめは p.184

今さら聞けない！
「can」と「be able to」って、微妙に意味が違うらしいんだけど……？

【will】
- I <u>will</u> give you a ride.　　　　　　　（　　）未来「～するつもり」
- She <u>will</u> be 20 years old next month.（　　）未来「～する／なる」

【can / be able to】
- She <u>can</u> play the violin.　　　　　　（　　）「～できる」

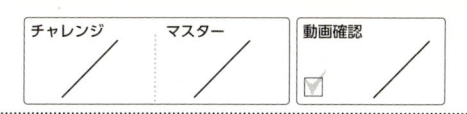

- I will be able to attend the meeting.　（　　　）「～できる」
- It can / can't be true.　　　　　　　（　　　）「～であり得る／あり得ない」

He could swim, so he was able to help his son.
　↑能力　　　　　　　↑可能（かつ実際にやったこと）

I was able to buy a ticket.（可能）かつ、実際にやったこと

I could buy a ticket.（可能）実際にやったかどうかはわからない

- You can't ride a bicycle here.　　　（　　　）「～してはいけない」
- Can I use your pen?　　　　　　　（　　　）「～してもいい」
- Can you help me?　　　　　　　　（　　　）「～して頂けますか」

【may】
- May I use your PC?　　　　　　　（　　　）「～してもいい」
　You may not use my PC.　　　　否定:（　　　）「～してはいけない」
- I may [might] go to the movie.　　（　　　）「～かもしれない」

類題と解答は次のページ

類題

次の文の ( ) に、日本語の意味合うように助動詞を入れなさい。

(1) 私たちは来月このオフィスを使うことができる。

We ( ) use this office next month.

(2) この部屋で携帯電話を使っていいですか？── ダメです。

( ) I use my cell phone in this room?

── No, you ( ).

(3) それが本当であるはずがない。

That ( ) be true.

(4) あなたはコンサートのチケットを取れるかもしれない。

You ( ) get the concert ticket.

(5) 私はコンサートのチケットを3枚手に入れることができた。

I ( ) get three tickets for the concert.

(6) 明日はもっと寒くなるかもしれない。

It ( ) be colder tomorrow.

解 答

例題の解答
(1) will　　(2) can　　(3) cannot　　(4) May [Can]　　(5) may [might]

類題の解答
(1) will be able to　　(2) May [Can]　may not [can not] / can't [may not]
(3) can't [can not]　　(4) may be able to [might / may]
(5) was able to [could]　　(6) can [may / might]

Column
英語は難しい？

　英語を母国語とする人たち（ネイティブスピーカー）にとって、習得するのが一番難しい言語はなんだと思いますか？
　文字の種類や文法などで言語どうしを比較して測る、「言語間距離」というものがあります。それによると、英語からの「距離」が一番遠い、つまり英語のネイティブスピーカーにとって一番難しい言語は……

　答えは、1位がアラビア語、そして2位はなんと日本語だそうです。中国語や韓国語も同ランクですが、特に日本語は最難関だとか。つまり、アメリカ人やイギリス人にとって、日本語は習得するのが「世界で一番難しい言語の1つ」なんです。
　ということは、逆もまた真なり。日本人にとって英語は、「世界で一番難しい言語の1つ」ということもできるわけです。
　つまり、私たち日本人はみんな、そんな「世界最難関の言語」の学習に挑戦しているということです。なので、安心してください、できなくて当たり前なんです。
　逆に「世界最難関の言語」の単語を7千語とか8千語（難関大学では1万語近く）覚え、長文を読んで理解し、問題に答えられるようになったら（安心してください。大学受験のときにはできるようになります）、最難関言語をクリア（少なくとも読み書きは）したことになります。
　最難関言語の英語をクリアしたあとは、第二、第三言語なんてチョロいもんだということですよね！　最初に学ぶ外国語が英語で超ラッキー（?）。

15 助動詞② — must / have to

例題

次の文の（　）に、日本語の意味に合うように助動詞を入れなさい。

(1) 明日までにこの宿題を終えなければならない。

You (　　　) finish this homework by tomorrow.

(2) 昨日は朝5時に起きなければならなかった。

I (　　　) get up at five in the morning yesterday.

(3) ここでは靴をぬぐ必要はありません。

You (　　　) take off your shoes here.

(4) ここでは写真撮影は禁止です。

You (　　　) take a photograph here.

解説と要点チェック　⇨まとめは p.184

今さら聞けない！

「must not」と「don't have to」の違いがわかりません。

【must】
- You <u>must</u> be quiet here.　　　（　　　）「〜しなければならない」
- You <u>must not</u> enter the room.　否定：（　　　）「〜してはならない」

　　　　　　　　　　　　　　　　　　※ can not も同じ意味がある

【have to】
- I <u>had to</u> go by taxi.（mustの過去形はない）
- I <u>will have to</u> bring an umbrella tomorrow.（will mustとはいえない）
- You <u>don't have to</u> answer the question.　否定：「〜しなくてもよい」

> 類題

次の文の（　）に、日本語の意味に合うように助動詞を入れなさい。

(1) ボールペンは使用禁止です。
　　You (　　) use a ball point pen.

(2) 明日の朝は始発の電車に乗らないといけません。
　　I (　　) take the first train tomorrow morning.

(3) 時間は十分にあるから、急がなくてもいいよ。
　　We have enough time, so you (　　) be hurry.

(4) 私はきのう、家にいなくてはいけませんでした。
　　I (　　) stay home yesterday.

> 解　答

例題の解答
　　(1) must [have to]　　(2) had to　　(3) don't have to
　　(4) must not [mustn't]

類題の解答
　　(1) mustn't [can't]　　(2) will have to [have to / must]　　(3) don't have to
　　(4) had to

16 助動詞③ — should / would

> **例題**
>
> 次の文の（　）に、日本語の意味に合うように助動詞を入れなさい。
>
> (1) あなたはもう少しゆっくり話すべきです。
>   You (　　　) speak more slowly.
> (2) 明日、何かが起こるだろう。
>   Something (　　　) happen tomorrow.
> (3) 何か温かいものが飲みたいです。
>   I (　　　) like to drink something hot.
> (4) 彼はどうしても私に本当のことを話そうとしなかった。
>   He (　　　) tell me the truth.

> **解説と要点チェック**　⇨まとめは p.185
>
> **今さら聞けない！**
> **「should（〜すべき）」は「shall」の過去形ですよね？**
> **現在形はどういう意味？**
>
> 【should】
> ● You should study harder.
>   (　　　)「〜すべき」← (　　　　　)
>
> 【would】
> ● It would be fine tomorrow.
>   (　　　　　)「たぶん〜だろう」
> ● I would like to talk with him. 「〜したいです」
> ● My father would take me to the zoo.
>   (　　　　　)「よく〜したものだ」※ used to も同じ意味
> ● My dog wouldn't go out of the house.
>   (　　　)「どうしても〜しようとしなかった」

類題

次の文の（　）に、日本語の意味に合うように助動詞を入れなさい。

(1) 窓を開けていただけませんか。

　　（　　　） you mind opening the window?

(2) 東京では車をもつべきではない。

　　You (　　　) have a car in Tokyo.

(3) 私は祖父とよく釣りにいったものだ。

　　I (　　　) go fishing with my grandfather.

(4) この馬はどうしても私の言うことを聞こうとしなかった。

　　This horse (　　　) listen to me.

解答

例題の解答
(1) should　　(2) would　　(3) would　　(4) wouldn't

類題の解答
(1) Would　　(2) shouldn't [ought not to]
(3) would [used to]　　(4) wouldn't

5章 助動詞　演習問題

1．次の文を（　）内の指示にしたがって書き換えなさい。

(1) They can't go on a picnic.（文末に last Monday を入れて）

(2) Taro must leave home now.（「～する必要がない」という内容に）

(3) You can enter the room.（「～してはならない」という内容に）

(4) I have to study math.　（I を He に変えて）

(5) I can play baseball.（文末に next year を入れて）

2．次の各組の文がほぼ同じ内容になるように、（　）に適語を入れなさい。

(1) He must go home.

　　He (　　　) (　　　) go home.

(2) Please come to my house on Saturday.

　　(　　　) you (　　　) to my house on Saturday?

(3) I want to drink a cup of coffee.

　　I (　　　) (　　　) (　　　) drink a cup of coffee.

(4) I could buy the guitar yesterday.

　　I (　　　) (　　　) (　　　) buy the guitar yesterday.

(5) You may not play soccer here.

　　You (　　　) play soccer here.

3．次の英文を日本語に訳しなさい。

(1) The door would not open.

(2) Would you like to drink water?

(3) You had to study English yesterday.

(4) You can enter the room.

(5) Can I drink some water?

目標時間(　　)分／かかった時間(　　)分

4．次の日本文を英語に訳しなさい。

(1) ここであなたは勉強することができます。

(2) その扉を開けてはいけません。

(3) 明日は傘を持っていかないといけないでしょう。

(4) 私の友人が、今週末私の家に来るかもしれない。

(5) 子どものころ、よく本を読んだものだった。

**5．次のようなときに、どのように英語で言うべきか。
　　助動詞を使って英文を作りなさい。**

(1) 相手に、窓を開けてくれるように頼む。

(2) 自分が、窓を開けていいかを聞く。

(3) 相手が、窓を開けるのを禁止する。

(4) 相手が、窓を開ける義務があることを伝える。

(5) 相手が、窓を開ける必要がないことを伝える。

解答は次のページ

解 答

1. (1) They couldn't [were not able to] go on a picnic last Monday.
   (2) Taro doesn't have to [doesn't need to] leave home now.
   (3) You can't [mustn't / may not / should not] enter the room.
   (4) He has to study math.
   (5) I will be able to play baseball next year.

2. (1) has to
   (2) Could [Will / Can], come
   (3) would like to
   (4) was able to
   (5) can't [mustn't / shouldn't]

3. (1) その扉はどうしても開かなかった。
   (2) 水を飲まれますか（水を飲みたいですか）？
   (3) 昨日、あなたは英語を勉強しなければならなかった。
   (4) あなたはその部屋に入ってもいい。
   (5) 水を飲んでもいいですか？

4. (1) You can [may] study here.
   (2) You must [can / may / should] not open the door.
   (3) We [You] will have to [must] take an umbrella tomorrow.
   (4) My friend may [might] come to my home this weekend.
   (5) I would [used to] read books when I was a child.

5. (1) Can [Could / Would / Will] you open the window?
   (2) Can [May] I open the window?
   (3) You can [may / must / should] not open the window.
   (4) You should [must / have to / ought to] open the window.
   (5) You don't have to [don't need to] open the window.

Column
それは「事実」ですか？「意見」ですか？

　英語や現代文の文章読解でもそうですが、人生においても大切なことがあります。それは、「事実」と「意見」を区別することです。

　ちなみに、「事実」とは現実に起こり、または存在する事柄のことをいいます。「意見」とは、あることについての誰かの考えです。言い換えると、事実とは「本当のこと」であり、「意見」とは「その人の主観」であるということです。

　例えば、「あのケーキ屋さんのシュークリームはおいしい」と誰かが言ったとします。それは「事実」でしょうか、「意見」でしょうか。今まであまり考えたこともなかったかもしれませんが、文章を読むと、あるいは誰かの発言を聞くと、ほとんどのケースが「事実」ではなく、「意見」＝「主観」です。なぜかというと、「I＝私」が「書いている」し「話している」から主観になるのは仕方ないのです。例えばハワイについて、「ハワイ最高！」という人もいれば、自分が旅行した3日間が台風で空港からホテルに行けず缶詰だった人は、「ハワイなんて最悪だ」となるでしょう。大切なのは「読み手」がそれを「事実」として理解するのか「書き手の主観」だと認識して受け取るのか、これがとても大切なのです。

　ちなみに、英文でそれを簡単に判別する方法があります。それは「助動詞」です。「助動詞」が入っている文章はすべて「意見」であり「主観」です。can, will, must, may, should....「できる」「だろう」「なければならない」「かもしれない」「すべき」などは、「I＝書き手」が勝手にそう思っているだけなのです。

　アメリカ合衆国第44代大統領のバラク・オバマ氏は、その選挙戦で、「Yes, we can！」というキャッチフレーズを用いて戦い、熱狂の渦を作り勝利しました。実際に「私たちができるかどうか」はわかりませんが、「本人はそう思っているんだな」と冷静に見つめる目が必要です。ただし、斜に構えたリーダーより、ポジティブなリーダーのほうが僕は好きですけどね。もちろん、これは僕の意見です。

17 否定① ─ notを使う否定

> **例題**

次の文を否定文にしなさい。

(1) My English teacher is from Canada.

(2) Kenji plays tennis.

(3) Atsushi can play the guitar.

(4) My friend went to Akihabara.

(5) My father is reading a newspaper in the bathroom.

(6) I have been to Disneyland.

(7) She has already finished her homework.

解説と要点チェック ⇨ まとめは p.186

- be動詞の否定文 → (　　　　) にnotを入れる。
  I am (　　) studying now.
  He is (　　) able to come today.
- 一般動詞の否定文 → (　　　　) にdon't か doesn't を入れる。
  I / You / They (　　　) like winter.
  He / She / Mary (　　　) speak French.
- 一般動詞の過去形を否定文にするときは、
  主語が単数でも複数でも (　　　　)。
- 助動詞の否定文　I　will
  　　　　　　　　　can
  　　　　　　　　　should　　(　　) go with you.
  　　　　　　　　　may
- 現在完了形の否定文
  【経験】I have seen that movie.
  　→ haveのあとに (　　　) をつけて、
  　　「一度も〜したことがない」という意味になる。

【完了】I have already finished my homework.
→ already のかわりに最後に「まだ」という意味の(　　　)を置くことが多い。

類題

次の文を否定文にしなさい。

(1) My teacher is from Chiba.

(2) I watched YouTube last night.

(3) I am going to send an e-mail to my mother.

(4) My teacher will give us an English test next week.

(5) I have eaten apple pies before.

(6) My father has already bought a new smartphone.

解答

例題の解答
 (1) My English teacher is not from Canada.
 (2) Kenji doesn't play tennis.
 (3) Atsushi cannot [can't] play the guitar.
 (4) My friend didn't go to Akihabara.
 (5) My father is not [isn't] reading a newspaper in the bathroom.
 (6) I have never been to Disneyland.
 (7) She hasn't finished her homework yet.

類題の解答
 (1) My teacher is not from Chiba.
 (2) I didn't watch YouTube last night.
 (3) I am not going to send an e-mail to my mother.
 (4) My teacher will not give us an English test next week.
 (5) I have never eaten apple pies before.
 (6) My father hasn't bought a new smartphone yet.

18 否定② ― not以外の否定

例題

次の英文を日本語に訳しなさい。

(1) I will never call you again.

(2) I could hardly understand English grammar.

(3) My mother could understand nothing about me.

(4) I couldn't understand anything about math.

(5) Nothing is impossible.

解説と要点チェック　⇨まとめは p.186

今さら聞けない！
「something」と「anything」って、
ぜんぜん違う意味なんですよね？

- never ＞ not
  I don't listen to Enka.　　私は（　　　　）演歌を聴きません。
  I never listen to Enka.　　私は演歌なんて（　　　　　　）。
- hardly / scarcely：I can hardly / scarcely hear you.
  　　　　　　　　　あなたの声が（　　　　）聞こえません。
  　　　　　　　　　※（　　　）が低い
- rarely / seldom：He rarely / seldom plays golf.
  　　　　　　　　彼は（　　　　）ゴルフをしません。
  　　　　　　　　※（　　　）が低い
- nothing / no one / nobody
  Nothing（　　）perfect.　完璧なものは何もない。
  Nobody（　　　）to the party last night.
  昨夜のパーティにだれも来なかった。
- not ＋ any：He didn't say anything.
  彼は（　　　）言わなかった。

類題

次の英文を日本語に訳しなさい。

(1) I will never tell a lie to you.

(2) I can hardly see anything without glasses.

(3) Nobody was reading a book on the train.

(4) I didn't eat anything this morning because I overslept.
※ oversleep：寝坊する

解答

例題の解答
(1) 二度とあなたに電話しないよ。
(2) 英文法についてほとんど理解できなかった。
(3) 母は、私について何も理解できなかった。
(4) 数学について何も理解できなかった。
(5) 不可能なことは何もない。

類題の解答
(1) 二度とあなたに嘘はつかないよ。
(2) メガネがないとほとんど何も見えない。
(3) 電車のなかでは、だれも本を読んでいなかった。
(4) 寝坊したので、けさは何も食べなかった。

19 否定③ — 全否定と部分否定

例題

次の英文を日本語にしなさい。

(1) I don't like all Hollywood movies.

(2) Not everybody knows how to use a smartphone.

(3) I had no money to buy a new notebook.

(4) My father doesn't like natto very much.

(5) Nobody knows that she is a good pianist.

(6) My father doesn't watch a comedy show at all.

(7) He didn't say anything.

解説と要点チェック ⇨ まとめは p.187

今さら聞けない！
「not＋all」って「全部ダメ」なのに、なんで「部分否定」なの？

＜部分否定＞

● 「not＋all / always / every」

I did<u>n't</u> read <u>all</u> the books.
　私は全部の本を読んだ（　　　　　　）。→ 少しは読んだ

He is<u>n't</u> <u>always</u> right.
　彼はいつも正しい（　　　　　　）。→ 正しくないときもある

<u>Not</u> <u>everybody</u> liked that story.
　全員がその話を好きだった（　　　　　　）。→ 嫌いだった人もいる

● 「not＋very much」

He does<u>n't</u> like sweets <u>very much</u>.
　彼は（　　　）スイーツが好きではない。
　→ これを「全然好きではない」の意味にするには
　He doesn't like sweets (　　)(　　).

＜全否定＞
- 「no ＋名詞」

    I have no money.

    お金が（　　　　）ない。

    No student liked that book.

    生徒の（　　　　）その本が好きではなかった。

- 「not + any」

    I didn't eat anything this morning.

    私はけさ、（　　　）食べなかった。

類題と解答は次のページ

類題

次の文の（ ）に、適切な1語を入れて、同じ意味になるようにしなさい。

(1) I don't have any free time this weekend.
　　= I ( ) ( ) free time this weekend.

(2) Not everybody likes math.
　　= ( ) people like math.

(3) My dog ate nothing this morning.
　　= My dog didn't ( ) ( ) this morning.

(4) 彼らには、子どもが1人もいなかった。
　　They didn't have ( ) children.

(5) ここには、どんな食べ物も持ち込んではいけない。
　　We can't bring in ( ) food here.

(6) 私は一度もUSJに行ったことがない。
　　I have ( ) been to USJ.

(7) 全部がただでもらえるわけではありません。
　　You can't get ( ) for free.
　　※ for free：ただで

解　答

例題の解答
　(1) 私はハリウッド映画が全部好きというわけではない。
　(2) 全員がスマートフォンの使い方を知っているわけではない。
　(3) 新しいノートを買うお金がなかった。
　(4) 父は納豆があまり好きではない。
　(5) 彼女が優れたピアニストであることは、だれも知らない。
　(6) 父は、お笑い番組をまったく見ない。
　(7) 彼は何も言わなかった。

類題の解答
　(1) have　no　(2) Some　(3) eat　anything　(4) any　(5) any
　(6) never　(7) everything

Column 英文が難しいワケ①

　何が英文を難しくしているかというと、理由はたった2つです。
　　1　語彙
　　2　複雑な修飾関係
　単語が難しいのは当然として、修飾関係というのはどういうことでしょうか。高校の初級英語を学習済みの方にとっては当たり前なのですが（諸説ありますが）、英語には5文型しかありません。たった5文型です。
　ＳＶ、ＳＶＣ、ＳＶＯ、ＳＶＯＯ、ＳＶＯＣです。しかし、それが何を意味するのかをよくわかっていない人が、世の中には非常に多い。
　ＳＶＯＣ以外は「すべて」修飾語なわけです。では、修飾とは何かというと、基本的には数種類しかありません。
　　1. 形容詞
　　2. 副詞
　　3. 前置詞＋名詞
　　4. 関係詞節
　　5. to不定詞
　　6. 分詞
　こんなもんです。ここで、文章を読むうえで一番重要なのはＳ（主語）とＶ（動詞）です。つまり、誰が何をしたのか、あるいは誰が何をするのかということをしっかりと把握することが一番大事になります。それができるようになると、下の英文もずいぶん楽になります。

　The results of the experiment are shown in the graph on the previous page.　In the first step, most of the children, regardless of their ages,　divided the twelve balls into two groups of six balls each and weighed these.　　　（センター試験改）（p.91に続く）

20 否定④ ― その他の否定

例題

次の英文を日本語に訳しなさい。

(1) There are few people at the station this time.

(2) We had little rain this summer.

(3) I have a few friends in Osaka.

(4) He has quite a few books in his room.

解説と要点チェック　⇨まとめは p.188

今さら聞けない！
「not」がついていないのに「否定の意味」って、どういうこと？

I have (　　　) friends in Japan.　私は日本に友だちが少しいる。
I have (　　　) friends in Japan.　私は日本に友だちがほとんどいない。
He has (　　　) money.　彼はお金を少しもっている。
He has (　　　) money.　彼はお金をほとんどもっていない。
(　　　) a few friends visited her house.
たくさんの友だちが彼女の家を訪れた。

> "a few / a little"　→　「少しある」
> few / little　→　「ほとんどない」（否定の意味）
> few　→　(　　　) 名詞
> little　→　(　　　) 名詞
> quite a few / guite a little　→　(　　　　　)

類題

次の文には、文法、意味的に誤っている箇所がある。
それを訂正しなさい。

(1) There are few water in the bottle.

(2) I have a little telephone numbers in my smartphone.

(3) Quite a little people attended the meeting.

解 答

例題の解答
 (1) この時間は、駅にほとんど人がいない。
 (2) この夏は、ほとんど雨が降らなかった。
 (3) 私は大阪に数人友だちがいます。
 (4) 彼は部屋にたくさんの本をもっている。

類題の解答
 (1) are → is
  few → little
 (2) little → few
 (3) little → few

6章 否定　演習問題

1．次の文を否定文にしなさい。

(1) My mother was happy this morning.

(2) The students love to do their homework.

(3) Our classroom is very clean.

(4) I have already played a new videogame.

(5) He has been abroad.

2．日本語の意味に合うように、(　) に適切な語句を入れなさい。

(1) 私はめったに映画を見ない。

　　I (　　　) watch movies.

(2) 霧のせいで、ほとんど何も見えない。※notを使わずに

　　I (　　) (　　) see (　　) because of fog.

(3) 昨夜のコンサートには、ほとんどだれも来なかった。

　　(　　　) people came to the concert last night.

(4) バスはいつも時間どおりに来るわけではない。

　　The bus doesn't (　　　) come on time.

(5) これはまったく笑いごとじゃない。

　　This is no joke (　　　) (　　　).

3．次の文を、日本語の意味に合うように並べかえなさい。

(1) 財布の中にお金がこれっぽっちもない。

　　(money ／ wallet ／ no ／ I ／ my ／ have ／ in).

(2) 私はこのテレビドラマについて何も知らない。

　　(about ／ know ／ TV drama ／ nothing ／ this ／ I).

(3) テストの準備をする時間がほとんどない。

　　(to ／ the test ／ is ／ prepare ／ little ／ there ／ time ／ for).

(4) 母は、朝に機嫌がいいことがめったにない。

(happy ／ is ／ seldom ／ my mother ／ the morning ／ in).

(5) 私は、辛い食べ物があまり好きではない。

(don't ／ much ／ I ／ food ／ very ／ like ／ spicy).

4．次の英文を、日本語に訳しなさい。

(1) These days, we have little snowfall in Nagoya.　※snowfall：降雪

(2) Nobody laughed at our teacher's joke.

(3) I believe nothing happens without a cause.　※cause：原因

(4) Even today, not everybody uses the Internet in Japan.

(5) There was little soy sauce in the bottle.　※soy sauce：醤油

5．次の日本文を、英語に訳しなさい。

(1) 今年の夏は、雨がほとんど降らなかった。

(2) このクラスのだれも風邪をひかなかった。　※風邪をひく：catch a cold

(3) だれも僕を止めることはできない。

解答は次のページ

解 答

1. (1) My mother wasn't happy this morning.
   (2) The students don't love to do their homework.
   (3) Our classroom is not very clean.
   (4) I haven't played a new videogame yet.
   (5) He has never been abroad.

2. (1) seldom
   (2) can hardly [scarcely], anything
   (3) Few
   (4) always
   (5) at all

3. (1) I have no money in my wallet.
   (2) I know nothing about this TV drama.
   (3) There is little time to prepare for the test.
   (4) My mother is seldom happy in the morning.
   (5) I don't like spicy food very much.

4. (1) 最近、名古屋ではほとんど雪は降らない。
   (2) だれも先生のジョークで笑わなかった。
   (3) 何事も、原因がなくて起こることはないと思う。
   (4) 今日でさえ、日本ですべての人がインターネットを使っているわけではない。
   (5) びんの中には醤油がほとんどなかった。

5. (1) We had little rain this summer.
   (2) Nobody [No one] caught a cold in this class.
   (3) Nobody [No one] can stop me.

Column 英文が難しいワケ②

　前回のコラム（p.85）で、「複雑な修飾関係を見破ると楽になる」という話をさせてもらいました。具体的にどうやるのかを、今回は解説してみようと思います。

　下の英文。

The results of the experiment are shown in the graph on the previous page.　In the first step, most of the children, regardless of their ages,　divided the twelve balls into two groups of six balls each and weighed these.　　　　　　　　　　　　　　（センター試験改）

　これを次のようにします。

The results (of the experiment) are shown (in the graph) (on the previous page).　(In the first step), most (of the children), regardless (of their ages),　divided the twelve balls (into two groups) (of six balls) each and weighed these.

　カッコはすべて「前置詞＋名詞」なのですが、これだけでもすでに多くの「修飾語」をあぶり出せました。すると、重要なのは、The results are shown. Most divided the twelve balls and weighed these. という部分のみだということがわかります。

　このようにＳＶや（前置詞＋名詞）を明確にし、修飾語をあぶり出すことによって、非常に簡単になります。どうでしょう？　見比べてみてください。

　あとは語彙を増やすわけですが、逆に、語彙が少ない場合は、たくさん文章が書いてあるほうが「ヒント」が多くあると考えてみてください。文章の読解ってなんだか「推理の問題」みたいじゃないですか？要するに、ＳＶＯＣとそれ以外の修飾語、あるいは修飾句に分けるなど、飾りのものなのか骨組みなのか、しっかり仕分けをして読むようにしてみましょう。

21 疑問詞① — 疑問代名詞

そもそも……疑問詞には3種類もあるんですか？
その3種類とはなんですか？

例題

日本語の意味に合うように（　）内の語句を並べかえなさい。

(1) この野菜はなんですか？

(this ／ is ／ what ／ vegetable)?

(2) あなたが大好きな俳優はだれですか？

(your ／ is ／ favorite ／ who ／ actor or actress)?

(3) この携帯電話はだれのものですか？

(this ／ whose ／ is ／ cell phone)?

(4) どちらがあなたの家ですか？

(is ／ house ／ your ／ which)?

(5) 昨夜、晩ごはんに何を食べましたか？

(for ／ you ／ have ／ dinner ／ what ／ did) last night?

解説と要点チェック ⇨まとめは p.188

今さら聞けない！

「疑問詞」は聞いたことあるけど、「疑問代名詞」ってなんですか？

① たずねたいものが、補語や主語のとき

　例：She is my sister. → Who (　　　)?

　　　He helped me. → Who (　　　)?

　→ 疑問詞の直後に (　　　) がくる。

② たずねたいものが、目的語のとき
例：I want to eat sushi. → What (　　　　　　　)?
I saw Takeshi at the station. → (　　　　　) did you see at the station?
→ 疑問詞のあとに、(　　　) を除いたYes / Noで答える形式の疑問文が続く。

類題

日本語の意味に合うように（ ）内の語句を並べかえなさい。

(1) きのう、だれがあなたに電話をしたのですか？
(you ／ last ／ who ／ called ／ night)?

(2) どちらがあなたのかばんですか？
(bag ／ your ／ which ／ is)?

(3) あの背が高い男の人はだれですか？
(that ／ is ／ man ／ tall ／ who)?

(4) けさ、あなたは何を食べましたか？
(eat ／ this morning ／ what ／ you ／ did)?

(5) あなたはだれを探しているのですか？
(for ／ you ／ whom ／ are ／ looking)?

解答

例題の解答
(1) (What is this vegetable)?　　(2) (Who is your favorite actor or actress)?
(3) (Whose cell phone is this)? (Whose is this cell phone)?
(4) (Which is your house)?　　(5) (What did you have for dinner) last night?

類題の解答
(1) (Who called you last night)?　　(2) (Which is your bag)?
(3) (Who is that tall man)?　　(4) (What did you eat this morning)?
(5) (Whom are you looking for)?

22 疑問詞② ― 疑問形容詞

例題

日本語の意味に合うように、（ ）に適切な語を入れなさい。

(1) 何色が好きですか？

　　（　　）（　　） do you like?

(2) どちらがあなたの家ですか？

　　（　　）（　　） is yours?

(3) どんな種類の食べ物が好きですか？

　　（　　）（　　）（　　）（　　） do you like?

(4) これはだれのかばんですか？

　　（　　）（　　） is this?

解説と要点チェック　⇨まとめは p.189

今さら聞けない！
「疑問形容詞」ってどういうものですか？
聞いたことないんですが……

What sport do you like?「どんな　スポーツが好きですか？」

形容詞…（　　）を修飾するもの

- どんな〜？　　　（　　） animal do you like?
　　　　　　　　　あなたはどんな動物が好きですか？
- どちらの〜？　　（　　） bicycle is yours?
　　　　　　　　　どちらの自転車があなたのものですか？
- だれの〜？　　　（　　） shoes are these?
　　　　　　　　　これらはだれのくつですか？
- どんな種類の〜？（　　） music do you like?
　　　　　　　　　どんな種類の音楽が好きですか？

類題

日本語の意味に合うように、（　）に適切な語を入れなさい。

(1) だれの歌が一番好きですか？

　　　(　　　) (　　　) do you like best?

(2) （2つのうち）どちらの国に行きたいですか？

　　　(　　　) (　　　) do you like to go to?

(3) どんな車に乗りたいですか？

　　　(　　　) (　　　) (　　　) (　　　) do you want to drive?

(4) 将来どの国に住みたいですか？

　　　(　　　) (　　　) do you like to live in in the future?

解答

例題の解答
(1) What color
(2) Which house
(3) What kind of food
(4) Whose bag

類題の解答
(1) Whose song
(2) Which country
(3) What kind of car
(4) What country

23 疑問詞③ ― 疑問副詞

例題

疑問文の答えを読み、（ ）に適切な語句を入れなさい。

(1) "(　　　) will you leave Japan?" "I'm leaving tomorrow."
(2) "(　　　) do you usually study?" "I usually study in the living room."
(3) "(　　　) does he go to work?" "He usually goes to work by bicycle."
(4) "(　　　) are you in a hurry?"
　　"Because the bus is leaving in three minutes."
(5) "(　　　) (　　　) is this bridge?" "It's about 200 meters."

解説と要点チェック　⇨まとめは p.189

今さら聞けない！
そもそも、「副詞」ってなんでしたっけ？

副詞…（　　　）を修飾するもの
疑問副詞…①（　　）、②（　　　）、③（　　　）、④（　　　）、⑤（　　　）
　　　　　をたずねるとき。

① （　　　）「いつ」
② （　　　）「どこで」
③ （　　　）「なぜ」　　＋ **did you study English?**
④ （　　　）「どのように」　「英語を勉強しましたか」
⑤ （　　　）＋ 形容詞 or 副詞「どのくらいの頻度・程度」
　How (　　　) do you study English?
　どのくらいの頻度で英語を勉強しますか？
　I study English once a week.
　私は週に１回英語を勉強します。

類題

日本語の意味に合うように、（　）に適切な語句を入れなさい。

(1) "(　　　) didn't you come to school yesterday?"
　　"Because I had a fever."

(2) "(　　　) can I have a good Italian food?"
　　"There is a nice Italian restaurant near my house."

(3) "(　　　) time do you need to finish this job?"
　　"Just about ten minutes."

(4) "(　　　) do fish breathe in the water?"
　　"They breathe with their gills."
　　※ gill：えら

(5) "(　　　) did you call me last night?"
　　"I called you around ten."

解　答

例題の解答
　(1) When　(2) Where　(3) How　(4) Why　(5) How long

類題の解答
　(1) Why　(2) Where　(3) How much　(4) How
　(5) When / What time

24 疑問詞④ ― 間接疑問文

例題

日本語の意味に合うように、（ ）内の語句を正しく並べかえなさい。

(1) あなたはそれがなんだか知っていますか？
　　Do you know (is ／ what ／ that)?

(2) 彼がだれか教えていただけませんか？
　　Can you tell me (he ／ is ／ who)?

(3) 駅がどこにあるかわかりません。
　　I don't know (the station ／ where ／ is).

(4) 何人がパーティに来たか知っていますか？
　　Do you know (came ／ people ／ many ／ how) to the party?

(5) コンサートが何時に始まるかを知りたいです。
　　I want to know (will ／ what ／ start ／ the concert ／ time).

解説と要点チェック　⇨まとめは p.190

今さら聞けない！
疑問文なのに、疑問文の語順じゃないってどういうこと？

普通の疑問文	What is this?　Where does he live?
間接疑問文	Do you know (　　)(　　)(　　)?
	これが何か知っていますか？
	I know (　　)(　　)(　　).
	私は彼がどこに住んでいるか知っています。

間接疑問文の作り方
● 「疑問詞 +（　　）+（　　）」
　　例1　Do you know (　　)(　　)(　　)?
　　例2　I don't know (　　)(　　)(　　) here.

類題

日本語の意味に合うように、（ ）内の語句を正しく並べかえなさい。

(1) 彼女がどこの出身だか知っていますか？

Do you know (is ／ from ／ where ／ she)?

(2) あなたがどんな本が好きなのかを知りたいです。

I want to know (book ／ like ／ kind ／ you ／ what ／ of).

(3) きのうのこの時間に何をしていたのか教えてください。

Please tell me (at ／ yesterday ／ doing ／ you ／ what ／ were ／ this time).

(4) きのう彼がどこに行ったか知っていますか？

Do you know (went ／ yesterday ／ he ／ where)?

(5) それをするのにどれくらいの時間がかかったのか知りたいです。

I want to know (it ／ how ／ long ／ took ／ much) to do it.

解答

例題の解答
- (1) what that is
- (2) who he is
- (3) where the station is
- (4) how many people came
- (5) what time the concert will start

類題の解答
- (1) where she is from
- (2) what kind of book you like
- (3) what you were doing at this time yesterday
- (4) where he went yesterday
- (5) how long it took

25 疑問詞⑤ ― その他の疑問文

例題

次の文の（　）に、日本語の意味に合うように適切な語句を入れなさい。

(1) 「魚は好きじゃないですか？」「いいえ、好きですよ。」
　"(　　　) you like fish?" "(　　　), I (　　　)."

(2) 「魚、お嫌いでしたよね？」「ええ、嫌いです。」
　"You (　　　) like fish, (　　　) you?" "(　　　), I (　　　)."

(3) 「窓を開けてもいいですか？」
　"Do you (　　　) if I open the window?

解説と要点チェック ⇨まとめは p.190

今さら聞けない！
否定の疑問文に対する答え方が
いまいちわかりにくいです！

①＜否定の疑問文＞
　(　　　) you like spaghetti?　スパゲティは好きじゃないですか？
　→「好きです」と答えたい。
　日本語：「(　　　)、好きです。」
　英　語："(　　　)"
　→ 答えが「好きじゃない」のときは？ →(　　　　　.)

②＜付加疑問文＞
　You like spicy food, (　　　)?
　　辛い食べ物が好きですよね？
　He wasn't hungry, (　　　)?
　　彼はお腹が空いていませんでしたよね？
　※ 本文が肯定文 → 付加疑問文は (　　　)。
　※ 本文が否定文 → 付加疑問文は (　　　)。

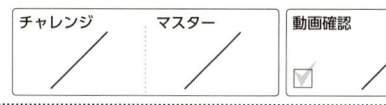

※ 答え方

You don't like spicy food, do you?
辛い食べものは好きではないですよね？
いいえ、好きです。→ (　　), I do.　　　※英語と日本語では
はい、嫌いです。→ (　　), I don't.　　　答え方が逆になる

③ Do you mind ～ ?の文

Do you (　　　) { if I turn on the light?
　　　　　　　　 turning on the light?

意味：私が電気をつけることを気にしますか？← 直訳
　　　電気を (　　　　　　　) ? ← 自然な訳

答え方：
- 「いいですよ」のとき → (　　　　　) / (　　　　　　　)
- 「ダメです」のとき　 → (　　　　　)

類題と解答は次のページ

類題

次の文の ( ) に、日本語の意味に合うように適切な語句を入れなさい。

(1) 「きょうって水曜日じゃないよね？」「いや、水曜日だよ。」

 "( ) ( ) Wednesday today?" "( ), it is."

(2) 「ここでタバコ吸ってもかまいませんか？」「ダメです。」

 "( ) ( ) ( ) if I smoke here?"

 " Sorry , I ( )."

(3) 「君、この映画観たんだよね？」

 " You have seen this movie, ( ) ( )?

(4) 「彼、きのう学校に来なかったよね？」「うん、来なかったね。」

 " He ( ) come to school yesterday, ( ) ( )?"

 " ( ), he ( )."

解 答

例題の解答
   (1) Don't ; Yes, do
   (2) don't, do ; No, don't
   (3) mind

類題の解答
   (1) Isn't it ; Yes
   (2) Do you mind ; do
   (3) haven't you
   (4) didn't, did he ; No, didn't

Column 単語の意味はわからなくても…①

　今日はわからない単語が出てきた場合の対処方法を教えます。
　よく「わからない単語が多かったので訳せませんでした」という声を聞きます。果たしてその理由は正しいのでしょうか。私はそうは思いません。なぜなら日本語だって意味のわからない単語や言葉は多いのに会話は通じますし、小説を読んでいてもそこまで不自由を感じないからです。
　新聞を読むと正確には意味のわからない言葉なんて山ほどあるはずです。しかし、我々はその文章の意味を読み取れます。なぜか？　それは文脈から推測しているからです。しかも文法通り周りの言葉を読み取ったうえで、「たぶんこういう意味になるんじゃないか」という作業を無意識のうちにやれているわけです。もちろん「文脈から推測する」なんて誰でも英語の先生ならいっていることです。ただし、それを本当の意味でわかっている人が果たして何人いるのだろうと私は思います。
　日本語で文脈から推測ができるのは、前後の意味を理解し、しかもわからない単語を含む文章も、その単語以外はわかっているからできるわけです。もし、ふだんから単語の意味を訳し、それを想像力を駆使してつなぎ合わせている人ならば、もはやわからない単語が出てきた時点で挫折してしまいます。
　そこで「精読」が重要になってくるわけです。例えば、I love you. という文章の「I」がわからなかったとしましょう。Iは主語ですので「〜は」というふうになります。そこで「Iは、貴方を愛する」という訳には最低限できるはずです。究極、すべての単語の意味がわからなくても、「IはYouをLoveする」という訳が完成します。こうやって「わからない単語は最低限文法上の訳をしておいて訳す」というやり方を使えば、かなりの確率で前後関係から訳せるんです。　　　　（p.117へ続く）

7章 疑問詞 演習問題

1．下線部をたずねる形の疑問文を作りなさい。

例) I have a pencil case in my bag.　→　What do you have in your bag?

(1) We are playing baseball in the park.

(2) We are playing baseball in the park.

(3) We are playing baseball in the park.

(4) I am listening to music.

(5) I am listening to rock music.

2．疑問形容詞を使って、次の日本文を英語に訳しなさい。

(1) これはだれのペンですか？

(2) なんのスポーツが好きですか？

(3) どんな種類の服が好きですか？
　※服：clothes

(4) どちらの本があなたのものですか？

(5) どの季節が好きですか？

3．「How＋形容詞・副詞」の形を使って、次の日本文を英語に訳しなさい。

(1) あなたはどれくらい速く走ることができますか？

(2) あなたは何時に学校に行きますか？

(3) あなたのお父さんの身長はどれくらいですか？

(4) あなたはどれくらい（の頻度で）コンビニエンスストアに行きますか？
　※コンビニエンスストア：convenience store

(5) ここから東京駅までどれくらいの距離ですか？

4．次の日本文を英語に訳しなさい。

(1) 私はなぜ彼が眠っているのか理解できなかった。

(2) 私は、自分の身長がどれくらいか知らなかった。

(3) 晩ご飯はまだ食べていないよね？　いいえ、食べました。

(4) 窓を閉めてもいいですか？　はい、どうぞ。（「mind」を使うこと）

(5) あなたはあのニュースを知らないの？　はい、知りません。

解　答

1. (1) What [What sport / What kind of sport] are you playing in the park?
   What are you doing in the park?
   (2) Where are you playing baseball?
   (3) Who is playing baseball in the park?
   (4) What are you listening to?
   (5) What kind of music [What music] are you listening to?

2. (1) Whose pen is this?
   (2) What sport [What kind of sport] do you like?
   (3) What kind of clothes do you like?
   (4) Which book is yours?
   (5) Which season do you like?

3. (1) How fast can you run?
   (2) What time do you go to school?
   (3) How tall is your father?
   (4) How often do you go to the convenience store?
   (5) How far is it from here to Tokyo Station?

4. (1) I couldn't understand why he was sleeping.
   (2) I didn't know how tall I was.
   (3) You haven't eaten [had] dinner, have you? — Yes, I have.
   (4) Do you mind if I close the window? — Not at all. [Of course not.]
   (5) Don't you know that news? — No, I don't.

26 受動態① ― 能動態と受動態、否定文

> そもそも……「受動態」とか「能動態」の、「態」ってなんですか？

例題

次の文を受動態にするとき、（　）内に適切な語を入れなさい。

(1) Picasso painted this picture.
　→ This picture (　　) (　　) (　　) Picasso.

(2) He didn't use this PC.
　→ This PC (　　) (　　) (　　) him.

(3) They speak English in Australia.
　→ English (　　) (　　) (　　) Australia.

(4) He took care of my dog.
　→ My dog (　　) (　　) (　　) (　　) (　　) him.

解説と要点チェック ⇨まとめは p.191

今さら聞けない！

受動態では、いつも最後に「by」がくるの？

- 能動態……動作を「する」側が主語になる
  例：He wrote this book.　彼はこの本を書いた。
- 受動態……動作を「される」側が主語になる
  例：This book (　　) (　　) (　　) him.
  　　この本は彼によって書かれた。

※受動態の作り方：【主語 + (　　) + (　　) + (　　)】
※否定文の作り方：

This picture was taken by him.

→ This picture was ( ) taken by him.

※動詞の後ろに前置詞が付いているときや熟語のときの注意：

He spoke to me.　→ I (　) (　) (　) by him.
　　　　　　　　　　　　　　　　　↑これを忘れない！

※動作主が (　) や不特定の場合、受動態では "by 〜" を省略する。

French is spoken in this country（by them）← 省略．

能動態：(　) speak French in this country.

（主語は "they" や "we" にする）

この国ではフランス語を話す。

類題

次の文を受動態にするとき、( ) 内に適切な語を入れなさい。

(1) We all love our teacher.
→ (　) (　) (　) (　) (　) all of us.

(2) They made this car at that factory.
→ This car (　) (　) (　) that factory.

(3) Many people didn't like that movie.
→ That movie (　) (　) (　) many people.

(4) A lot of fans talked to the singer.
→ The singer (　) (　) (　) (　) a lot of fans.

解　答

例題の解答
(1) was painted by　(2) wasn't used by　(3) is spoken in　(4) was taken care of by

類題の解答
(1) Our teacher is loved by
(2) was made at　※動作主が不特定のため by them は省略
(3) wasn't liked by　(4) was talked to by

107

27 受動態② ― 進行形、完了形、助動詞の

例題

次の文の（　）内の語句を正しく並べかえて、受動態にしなさい。

(1) He is playing the guitar now.

→ (played ／ him ／ the guitar ／ is ／ being ／ by) now.

(2) I'm not using my PC now.

→ (not ／ my PC ／ me ／ being ／ by ／ used ／ is) now.

(3) More than one million people have watched that movie.

→ (been ／ that movie ／ by ／ watched ／ has) more than one million people.

(4) My mother hasn't washed my clothes yet.

→ (washed ／ my mother ／ been ／ my clothes ／ by ／ not ／ have) yet.

解説と要点チェック　⇨ まとめは p.192

今さら聞けない！

進行形の受動態って、ニガテ！

■ **進行形**：「be動詞 ＋ (　　　) ＋ 過去分詞」

例：その物語はいま、彼によって書かれているところです。

That story (　) (　　) (　　　) by him now.

■ **完了形**：「have / has ＋ (　　　) ＋ 過去分詞」

例：その本はすでに大勢の人に読まれました。

That book (　　) already (　　　) (　　　) by many people.

※否定文 → (　　　)　　完了の意味のとき → 文末に (　　　)

■ **助動詞**：「助動詞 ＋ (　　) ＋ 過去分詞」

例：そのサービスは無料で使われるべきだ。

That service (　　　) (　) (　　　) for free.

※否定文 → (　　　)

受動態

類題

次の文の（　）内の語句を正しく並べかえて、受動態にしなさい。

(1) Many young people are listening to that song today.
　　→ (that song ／ to ／ listened ／ being ／ is) by many young people today.

(2) He is cutting down the tree.
　　→ (cut ／ being ／ the tree ／ is ／ down) by him now.

(3) We haven't listened to that kind of music in Japan yet.
　　→ (has ／ listened ／ been ／ that kind of music ／ not ／ to) in Japan yet.

(4) We must follow the rules.
　　→ (followed ／ be ／ the rules ／ must).

解答

例題の解答
(1) (The guitar is being played by him) now.
(2) (My PC is not being used by me) now.
(3) (That movie has been watched by) more than one million people.
(4) (My clothes have not been washed by my mother) yet.

類題の解答
(1) (That song is being listened to) by many young people today.
(2) (The tree is being cut down) by him.
(3) (That kind of music has not been listened to) in Japan yet.
　　※動作主が「一般の人びと」のため by us は省略
(4) (The rules must be followed).
　　※動作主が「一般の人びと」のため by us は省略

28 受動態③ — byを用いない受動態

例題

次の受動態の文の（　）に、適切な前置詞を入れなさい。

(1) We were surprised (　　) that news.
(2) Mt. Fuji was covered (　　) snow.
(3) I am very interested (　　) your story.
(4) Plastic is made (　　) oil.
(5) Are you satisfied (　　) this result?
(6) His father was killed (　　) a traffic accident.

解説と要点チェック ⇨まとめは p.192

今さら聞けない！
受動態の後ろにくるのが
「by」以外になるのは、どういうとき？

A lot of people were killed (　　) an enemy.　　an enemy → (　　)
A lot of people were killed (　　) an accident.　an accident → (　　)

by 以外を使う主な動詞
- I am interested (　　) history.　※interest：(　　)
- My cat was surprised (　　) the sound.　※surprise：(　　)
- His car is covered (　　) dust.
- This table is made (　　) wood.
  ※何でできているかが見てわかる → (　　)
- Miso is made (　　) soy beans.
  ※何でできているかが見てわからない → (　　)

※注意：I am interested in soccer.
　×　私はサッカーに興味をもたされている。
　○　私はサッカーに (　　　　)。→ 日本語では (　　) で表す。

類題

次の受動態の文の（ ）に、適切な前置詞を入れなさい。

(1) She was so shocked (　　　) the result of the test.

(2) This coat is very expensive because it is made (　　　) real leather.

(3) Hundreds of people were killed (　　　) the earthquake last month.　※hundreds of〜：何百の

(4) Do you know what tofu is made (　　　)?

[解　答]

例題の解答
　　(1) at　　(2) with　　(3) in　　(4) from　　(5) with　　(6) in

類題の解答
　　(1) at　　(2) of　　(3) in　　(4) from

8章 受動態　演習問題

1．次の受動態の文を、同じ意味になるように、能動態に書き換えなさい。

(1) Soccer is played by many people.

(2) I was given a book by my father.

(3) I was spoken to by an American on the street.

(4) A shopping mall is being built in my neighborhood.

(5) This store will be closed next year.

2．次の能動態の文を、同じ意味になるように、受動態に書き換えなさい。

(1) They are building a new bridge.

(2) I will read this book tomorrow.

(3) Many people have already read this novel.

(4) I am going to buy a smartphone this weekend.

(5) You shouldn't open the box.

3．次の文の（　）に、適切な前置詞を入れなさい。

(1) His parents were killed (　　　) the accident.

(2) Baseball is played (　　　) many people in this country.

(3) She was interested (　　　) Japanese culture.

(4) Their new house is made (　　　) wood.

(5) Plastic is made (　　　) oil.

4．次の文を、（　）の指示にしたがって書き換えなさい。

(1) The news will surprise them.（受動態に）

(2) You close the door.（mustを使って、受動態に）

(3) I am reading the e-mail from you now.（受動態に）

(4) Most Americans can speak English.（受動態に）

(5) I haven't finished my homework yet.（受動態に）

目標時間（　　）分／かかった時間（　　）分

解答

1. (1) Many people play soccer.
   (2) My father gave me a book. / My father gave a book to me.
   (3) An American spoke to me on the street.
   (4) They are building a shopping mall in my neighborhood.
   (5) They will close this store next year.

2. (1) A new bridge is being built.
   (2) This book will be read by me tomorrow.
   (3) This novel has already been read by many people.
   (4) A smartphone is going to be bought by me this weekend.
   (5) The box shouldn't be opened [by you].

3. (1) in   (2) by   (3) in   (4) of   (5) from

4. (1) They will be surprised at the news.
   (2) The door must be closed [by you].
   (3) The e-mail from you is being read by me now.
   (4) English can be spoken by most Americans.
   (5) My homework has not been finished (by me) yet.

29 比較級と最上級① ― -erとmore

> そもそも……比較級で-erをつけるときとmoreをつけるときの違いは?

例題

次の文の ( ) 内の語を比較級、または最上級を使って、適切な形にしなさい。

(1) My brother is (tall) than I.

(2) Tokyo Skytree® is (tall) building in Japan.

(3) He can run (fast) than I do.

(4) He can run (fast) in my class.

(5) I can do it (easily) than you do.

(6) Your presentation was (good) than his.

(7) My test score was (bad) in the class.

解説と要点チェック ⇨まとめはp.193

■比較級／最上級になる品詞

(1) This building is <u>taller</u> than that one.
    (　) 詞：(　　) を修飾
    This building is the <u>tallest</u> in Japan.
    ※最上級の形容詞の前には (　　) が必要

(2) He can swim <u>faster</u> than I do.
    (　) 詞：(　　　) 主に (　　　) を修飾
    He can swim <u>fastest</u> (　　) the three ／ (　　) the class.

■比較級／最上級の作り方

(1) 語尾が子音＋y → yを取って (　　／　　)
    例：easy → (　　／　　),

(2) 語尾が短母音＋子音 → 子音を重ねる
例：big →(　　　／　　　)　hot →(　　　／　　　)
(3) more／most型……3音節以上の語　例：ex-pen-sive　im-por-tant
※例外①：This movie is (　　) than that one.
→ 比較級 (　　　　)
(4) 不規則変化

原級	比較級	最上級
good	(　　)	(　　)
well		
bad	(　　)	(　　)
badly		
many	(　　)	(　　)
much		
little／few	(　　)	(　　)

類題と解答は次のページ

類題

次の文の（　）内の語を適切な形にしなさい。

(1) This question is (difficult) than that one.

(2) This type of bird sings (beautifully) than that type of birds.

(3) He can swim (fast) in our school.

(4) Which book is (interesting) of the two?

(5) (Many) people came to the concert tonight than yesterday.

(6) I felt bad last night, but now I feel much (good).

解答

例題の解答
(1) taller　　(2) the tallest　　(3) faster　　(4) (the) fastest
(5) more easily　　(6) better　　(7) (the) worst

類題の解答
(1) more difficult　　(2) more beautifully　　(3) (the) fastest
(4) more interesting　　(5) More　　(6) better

Column
単語の意味はわからなくても…②

　前回（p.103）の続きです。今度はもうちょっと複雑な文章で実践してみましょう。前に使った例文をここで訳してみましょう。

The results of the experiment are shown in the graph on the previous page. In the first step, most of the children, regardless of their ages, divided the twelve balls into two groups of six balls each and weighed these.
　　　　　　　　　　　　　　　　　　　　　（センター試験改）

　上記の文章の「result」「experiment」「step」「divided」がわからない単語だとしましょう。ここで、前回のコラムで述べたように「わからない単語はそのままで訳す」という方法を取ると、次のような訳ができます。
「そのエクスペリメントのリザルトは、前のページにグラフで表されています。最初のステップでは、子供のほとんどが年齢によらず12個のボールを6個ずつの2つのグループにディバイドした。そしてこれらを計った」
　どうでしょう？　文法どおりきちんと訳せば、はっきりいって簡単になりませんか？　これでもし前後の文があれば、ほぼ確実に意味が読み取れると思います。わからない単語はわからないままでいいんです。むしろ意味を思い出す無駄な時間を省いたほうがいい。実際に、日本語でもそうやっているんですから。日本語の場合、無意識のうちにこの作業をやって、推測しまくっているんです。例えば、方言を聞いた場合なんてまさにそうなんですよ。私の知人で三河地方出身の人がいますが、方言だしまくりなんです。それでも十分コミュニケーションが取れる。例えば、
「この前ラーメン食べたんですよ。そしたらそのスープが熱くって。シタベラをやけどしちゃいました」「机をつってきてもらえますか？」「大好きなCDがコアケテしまって」などなど。文脈で十分わかります。
　ただし、これが可能になるには、一語一語の意味を想像力で組み合わせて文章を訳していたらできません。主語や動詞の関係など、これまでのやりかたをしっかりとマスターしていき、そのうえで「そのまま訳す」というふうにしてみてください。

30 比較級と最上級② — asを使った文

例題

次の英文を日本語に訳しなさい。

(1) My father is as tall as I.

(2) My watch is not as expensive as yours.

(3) He speaks as fast as I do.

(4) I can't sing songs as well as you do.

(5) Please call me as soon as possible.

解説と要点チェック ⇨まとめは p.194

今さら聞けない！
「as」を使う比較級の否定文が、
いまいちうまく訳せません……。

① 「as 〜 as...」
　形容詞を比較：You are as (　　) as I.
　　　　　　　あなたは私と同じくらい<u>年をとっている</u>。
　　　　　　　→ 同い年くらいだ。
　副詞を比較：I can play the guitar as (　　) as you do.
　　　　　　　私は君と同じくらい<u>上手に</u>ギターが弾ける。

② 「not as 〜 as...」
　例：He is not as tall as you.
　　　×　彼はあなたと同じくらい背が高くない。
　　　○　彼は (　　　　　　　　　)。
　※ 「less 〜 than...」も同じ意味 → He is (　　) (　　) than you.

③ 「as 〜 as possible / one can」
　例：Can you speak as (　　) as (　　　)?
　　　Can you speak as slowly as (　　)?
　　　できるだけゆっくり話してもらえますか？

| チャレンジ | マスター | 動画確認 |
|/|/|/ ☑|

類題

次の英文を日本語に訳しなさい。

(1) This park is as big as Tokyo Dome.

(2) I don't know about him as much as you do.

(3) I'll have to get up at five tomorrow morning, so I'll go to bed as early as I can.

(4) Recently, rice is less popular than bread.

解 答

例題の解答
(1) 父は私と同じくらい背が高い。
(2) 私の時計は、君のほど高価ではない。
(3) 彼は私と同じくらい速く話す。
(4) 私は君ほど上手に歌を歌えない。
(5) できるだけ早く私に電話してください。

類題の解答
(1) この公園は東京ドームと同じくらい大きい。
(2) 私はあなたほど彼について知りません。
(3) 明日の朝は5時に起きなければならない。なので、きょうはできるだけ早く寝ます。
(4) 最近は、ごはんはパンより人気がない。

31 比較級と最上級③ — 原級の文

例題

次の文の（ ）内の語句を、日本語の意味に合うように並べかえなさい。

(1) 君の部屋は私の部屋の約3倍の大きさだ。

Your room is about (big ／ as ／ three ／ mine ／ as ／ times).

(2) 私の部屋は君の部屋の約3分の1の大きさだ。

My room is about (of ／ the size ／ yours ／ one-third).

(3) 私は君と同じくらいの数のCDをもっている。

I have (as ／ CDs ／ you ／ as ／ many ／ do).

(4) 私は君の2倍の数のCDをもっている。

I have (CDs ／ as ／ you ／ twice ／ do ／ many ／ as).

(5) このプールは、あのプールの半分くらいの深さだ。

This pool is about (of ／ the depth ／ that one ／ half).

解説と要点チェック　⇨まとめは p.195

今さら聞けない！
分数って、英語でどうやって表すの？

- 倍数の表現
「数字＋times」　※「2倍」は（　　　）とも表す
- 分数の表現「分子の数字 → 分母の（　　　）」の順で表す
「序数」とは？ → first ／ second ／ third ／ fourth ／ fifth, ...
例：1/3 →（　　　　）　　もしくは a third
　　2/5 →（　　　　）　　分子が複数のとき、（　　　）が複数形
　　1/2 →（　　　　）　　1/4 →（　　　　）

英語での倍数の言い方は、2通りだけ覚えればOK！

I.「倍数＋as 〜 as...」と「倍数＋比較級＋than...」

① 形容詞を比較：His car is (　　　) as (　　　　　) as mine.
　　　　　　　　彼の車は私の車の倍の値段だ。

② 副詞を比較：This plane can fly (　　　　　) as (　　　) as the others.
　　　　　　　　この飛行機は他の飛行機の3倍のスピードで飛ぶことができる。

③ 数・量を比較：He paid (　　　　) as (　　　) (　　　　) as I did.
　　　　　　　　彼は私の5倍のお金を払った。

※「〜の○分の○」と言いたいとき

　This tunnel is about (　　　　) as (　　　) as that one.
　このトンネルは、あのトンネルの約3分の1の長さです。

※「倍数＋比較級」も可

　This tunnel is three times (　　　) (　　　) that one.
　このトンネルは、あのトンネルの3倍の長さがある。

<単位を表す名詞>

II.「倍数＋the (　　　　　　　) of 〜」

　大きさ (　　　)、長さ (　　　)、高さ (　　　)、
　深さ (　　　)、重さ (　　　)
　例：アメリカは日本の約25倍の大きさです。
　America is about twenty-five times (　　　　) of Japan.

類題と解答は次のページ

類題

次の文の（ ）内の語句を、日本語の意味に合うように並べかえなさい。

(1) 私はいま、3か月前の2倍の速さで英語を読むことができる。

I can now read English (as ／ fast ／ twice ／ as) I did three months ago.

(2) 私の自転車は、君の自転車の半分の重さしかない。

My bicycle is (as ／ heavy ／ only ／ yours ／ half ／ as).

(3) この橋は、あの橋の約3分の1の長さだ。

This bridge is about (of ／ the length ／ that one ／ one-third).

(4) この国では、日本の2倍以上の雨が降る。

In this country, we have (than ／ as ／ rainfall ／ more ／ as ／ twice ／ much) in Japan.

解 答

例題の解答
- (1) three times as big as mine
- (2) one-third the size of yours
- (3) as many CDs as you do
- (4) twice as many CDs as you do
- (5) half the depth of that one

類題の解答
- (1) twice as fast as
- (2) only half as heavy as yours
- (3) one-third the length of that one
- (4) more than twice as much rainfall as

Column 長文読解が苦手ですか？①

　圧倒的に「長文読解」が楽になる方法を今回は書きます。
　僕が大学で初めてレポートを書いたときに学んだことです。内容は忘れましたが、とにかく2000語程度のレポートを書かなければならず、2日ぐらい必死で考えて書き上げました。授業前に友人とそのレポートを見せ合い、誰もが素晴らしい出来だと絶賛してくれました。ところが結果は「F（落第）」でした。全く納得がいかない僕は教授室に乗り込みました。すると、教授は笑顔で「来ると思っていたよ。レポートの評価が気に入らないんだろう？」と言いました。僕は、「CとかD」ならまだ納得もいく！　しかし「F」はないだろうと激しく抗議しました。
　すると、教授は言いました。「君のレポートの"中身"は確かに素晴らしかった。A＋をあげてもいいぐらいだ、しかしね、根本的に体裁がなっていないんだよ。これはアカデミックな文章としては最低だ」と。内容は良くても英語の論理構成になっていないから、大学で提出するレポートとしては落第だと言うんですね。まずそれを勉強したうえで再提出すれば、A＋をあげようということで、私は帰りに本屋さんに寄ってから勉強しました。すると以下のようなことが書いてありました。

1. 1段落（1パラグラフ）は3〜7文で構成する
2. テーマ文 → 例（実証など）→ 結論で、1パラグラフを構成する
3. 段落構成も2のようにする。

　つまり、各段落の最初の「一文」がその段落のテーマの文であり、最後の文は結論ということですし、段落自体も、「最初の段落」がテーマの段落であり、「最後の段落」が結論の段落であると。なので、極端な話、各段落の最初の文と最後の文だけを読めば、何が言いたいかがわかるような状態になっているのが「アカデミックな文章」ということになります。
　もちろん、「物語文」はそうではありませんが、今後長文読解のときに意識してみてはいかがでしょうか。

32 比較級と最上級④ ─ 比較級、原級で

例題

日本語の意味に合うように、（　）に適語を入れなさい。

(1) 日本ほど安全な国はない。

　　（　　　）other country is（　　　）safe（　　　）Japan.

(2) 彼女より上手にピアノを弾く生徒はこの学校にいない。

　　（　　　）other student in the school plays the piano（　　　）

　　（　　　）she.

(3) 時間ほど貴重なものはない。

　　（　　　）is（　　　）important（　　　）time.

(4) 琵琶湖より大きい湖は、日本にはない。

　　Lake Biwa is（　　　）（　　　）（　　　）（　　　）lake in Japan.

解説と要点チェック　⇨まとめは p.196

今さら聞けない！

比較級を使った最上級の表現にもいろいろあって面倒くさい……。

3パターンだけ覚えよう！

① 「no（　　　）+名詞（単数）+比較級／as 原級 as」

　　（　　　）（　　　）mountain in Japan is（　　　）（　　　）Mt. Fuji.
　　　　　　　　↑単数！　　　　　　　is（　　　）high（　　　）Mt. Fuji.

　　【比】富士山より高い山は日本にはない。
　　【原】富士山と同じくらい高い山は日本にはない。
　　⇒【最】富士山が日本で一番高い。

② 「nothing [no one] +比較級／as 原級 as」

　　（　　　）is（　　　）（　　　）home.
　　　　　is（　　　）good（　　　）home.

最上級を表す

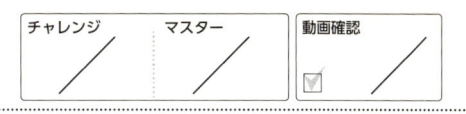

> 【比】わが家よりいいものはない。
> 【原】わが家と同じくらいいいものはない。
> ⇒【最】わが家が一番いい。

③「比較級＋any other ～」

Mt. Everest is higher than (　　) (　　) (　　　) in the world.　↑単数！

> 【比】エベレストは世界のほかのどの山より高い。
> ⇒【最】エベレストが世界で一番高い。

類題

日本語の意味に合うように、（　）に適語を入れなさい。

(1) 私たちほど食べ物をむだにしている国民はいない。

(　　) (　　　) people in the world is wasting (　　　) food (　　　) we.　※people：ここでは「国民」「民族」の意味

(2) 今日、スマートフォンほど頻繁に利用されている道具はない。

(　　) (　　　) tool is used (　　　) often (　　　) a smartphone today.

(3) 日本ほど安全な国はない。

Japan is (　　) than (　　) (　　) (　　) in the world.

解答

例題の解答
(1) No, as, as　　(2) No, better than
(3) Nothing, as, as　　(4) larger [bigger] than any other

類題の解答
(1) No other more than
(2) No other as as / No other more than
(3) safer any other country

9章 比較級と最上級　演習問題

1. 比較の形に注意して、次の日本語を英語にしなさい。
(1) この話は、あの話よりもおもしろかった。
(2) 5人のなかで、彼が一番好きだ。
(3) ナイル川（the Nile）は世界で一番長い川だ。
(4) こんにち、より多くの人が英語を話している。
(5) 私たちにはより多くのきれいな水が必要だ。

2. 各文がほぼ同じ意味になるように、（　）に適切な語を入れなさい。
(1) She is not taller than I.
　　She is (　　　) tall than I.
(2) I can't play baseball as well as you do.
　　You can play baseball (　　　) than I do.
(3) You should do it as soon as you can.
　　You should do it (　　　) (　　　) (　　　) (　　　).
(4) His car is twice as expensive as mine.
　　My car is (　　　) as expensive as his.
(5) Your computer is three times faster than mine.
　　My computere is (　　　) (　　　) fast (　　　) yours.

3. 次の日本語を、「倍数＋名詞」の表現を用いて英語にしなさい。
(1) 日本はアメリカの約25分の1の大きさです。
(2) 東京スカイツリーは東京タワーの約2倍の高さです。
　　（東京スカイツリー：Tokyo Skytree／東京タワー：Tokyo Tower）
(3) ナイル川 (the Nile) は信濃川 (the Shinano) の約20倍の長さです。
(4) 琵琶湖 (Lake Biwa) は田沢湖 (Lake Tazawa) の約4分の1の深さです。
(5) 地球は月の約80倍の重さです。

4. "Time is the most important thing of all." とほぼ同じ意味になるように、(1)～(5) の日本語を参考にして英語にしなさい。

(1) 時間はほかの何よりも重要である。（比較級）

(2) 時間よりも重要なものはない。（比較級）

(3) 時間ほど重要なものはない。（原級）

(4) 時間よりも重要なものはない。

　　（比較級で。There is nothing を使う）

(5) 時間ほど重要なものはない。

　　（原級で。There is nothing を使う）

解 答

1. (1) This story was more interesting than that story [one].
   (2) I like him (the) best of the five.
   (3) The Nile is the longest river in the world.
   (4) More people speak English today.
   (5) We need more clean water.

2. (1) less　(2) better　(3) as soon as possible　(4) half
   (5) one-third as　as

3. (1) Japan is about one twenty-fifth the size of America.
   (2) Tokyo Skytree is about twice the height of Tokyo Tower.
   (3) The Nile is about twenty times the length of the Shinano.
   (4) Lake Biwa is about one-fourth [quarter] the depth of Lake Tazawa.
   (5) The earth is about eighty times the weight of the moon.

4. (1) Time is more important than any other thing [anything else].
   (2) Nothing is more important than time.
   (3) Nothing is as important as time.
   (4) There is nothing more important than time.
   (5) There is nothing as important as time.

33 動名詞 — 役割と訳し方

> **例題**
>
> 次の文の（　）内の語句を動名詞を使って適切な形にし、全文を日本語に訳しなさい。
>
> (1) His hobby is (take pictures).
>
> (2) (Read books) will give you a lot of knowledge.
>
> (3) I'm looking forward to (watch that movie).
>
> (4) My mother doesn't like (I sleep in the living room).

解説と要点チェック ⇨まとめは p.196

今さら聞けない！

「動名詞」って、
結局、「動詞」なの？「名詞」なの？

動名詞の定義……「動詞の後ろにingをつけて（名詞）のはたらきをするもの」
訳し方……「(　　　　　)」
　　例1：read「読む」→ reading「(　　　　　)」
　　例2：read a book「本を読む」→ reading a book「(　　　　　)」
　　　　　　　　↑目的語　　　　　　↑目的語も含めて名詞のかたまりにする

動名詞の位置
(1) 文の（　　　）　　　例：Reading a comic is fun.
(2) 文の（　　　）　　　例：His dream is becoming a pilot.
(3) 文の（　　　）　　　例：My cat likes sleeping.
(4) 前置詞の（　　　）　例：He went out without saying good bye.
　　　　　　　　　　　　　　　　　　　　　↑前置詞「〜なしで」

※「〜が…すること」のかたち
　　母は私がTVゲームをすることを嫌う。
　　My mother doesn't like (　　) playing a video game.
　　　　　　　　　　　　　↑(　　　)←意味上の主語

類題

次の文の（ ）内の語句を、動名詞を使って適切な形にし、全文を日本語に訳しなさい。

(1) I am very interested in (talk with him).

(2) You should stop (eat before go to bed).

(3) Would you mind (I turn up the radio)?

(4) (See) is (believe).

解答

例題の解答
(1) taking pictures　彼の趣味は写真を撮ることです。
(2) Reading books　読書はあなたにたくさんの知識を与えてくれるでしょう。
(3) watching that movie　あの映画を見るのが楽しみです。
(4) my sleeping in the living room　母は私が居間で寝るのを嫌がる。

類題の解答
(1) talking with him　私は彼と話すことにとても興味がある。
(2) eating before going to bed　寝る前に食べることをやめるべきだ。
(3) my turning up the radio　ラジオの音量を上げてもいいですか？
(4) Seeing, believing　見ることは信じることだ。→ 百聞は一見にしかず。

10章 動名詞　演習問題

次の日本文を、動名詞を使って英語に訳しなさい。

(1) 毎朝朝食をとることは大切だ。

(2) 私の趣味は野球をすることです。

(3) 私はサッカーをすることが好きです。

(4) 彼は何も言わずに家に帰った。

(5)（私が）窓を開けてもいいですか？（窓を開けたら気にしますか？）

解　答

(1) Having [Eating] breakfast every morning is important.
(2) My hobby is playing baseball.
(3) I like playing soccer.
(4) He went home without saying anything.
(5) Do [Would] you mind my opening the window?

目標時間(　　　)分／かかった時間(　　　)分

Column 長文読解が苦手ですか？②

　前回（p.123）のコラムで、レポートに対して「強い否定」をされたことにより、肯定的な学びを僕が得たことを書きました。
　極端なことを言えば、英語の論説文は、
『各段落の最初と最後の文を読めば何を言いたいのかがわかる』
ということです。
　例えば、センター試験・TOEFL・TOEIC・英検の長文はすべてこれでいけます。
　昔、TOEFLの勉強をしていたときに、とりあえず長文の本文をひと通り読んでいましたが、途中でなんのことだかさっぱりわけがわからなくなっていました。それでも読み進めていました。長文の最後まで辿り着いた時点で、結局何の話だったのか？　という状態になって、もう一度最初から読み返すのにうんざりしていました。皆さんもきっとわかりますよね（笑）
　でもね、「段落」というのは話の変わり目だから、それを意識して読むとずいぶん違ってきます。そして中身が全然わからなかったら、とりあえず段落の最初の文と最後の文を熟読してみる。そしてどういう話なのかの目星をつけて読むと非常に読みやすくなります。
　もうひとつ、長文を読みやすくするヒントを挙げます。
『長文を読み始める前に各段落の切れ目の部分に鉛筆で線を横にザッと引いてから読み始める』です。
「困難の分割」と「ヴィジュアル化」という手法です。ドーンと出された長文を段落ごとに分割する。そしてそれを「視覚化」する作業がこの線引きです。一度やってみてください。かなり読みやすくなるはずですよ。「あ！　ここで話が変わるんだ！」と意識しながら読むんですね。仮に段落の途中で意味がわからなくなっても、次の段落からはリフレッシュしてまた新たな気持ちで読めます。
　そして各段落の最初の文と最後の文に下線を引いてみてください。ずいぶん内容が頭に入ってくるはずです。ぜひお試しを。

34 不定詞① ― 名詞・形容詞的用法

> そもそも……「不定詞」って、名前からしてよくわからないよね！

例題

次の文の不定詞の用法を答え、日本語に訳しなさい。

(1) To carry this box alone is impossible.

(2) Her dream is to become a singer.

(3) She wants to play basketball this weekend.

(4) I bought a book to read during my trip.

(5) Would you give me something to drink?

解説と要点チェック ⇨ まとめは p.197

今さら聞けない！
「名詞的用法」の「的用法」ってどういう意味ですか？

不定詞の役割

① To play tennis is fun.　　　　「～すること」
② I want something to drink.　　「～するための」
③ He is saving money to buy a car.　「～するために」

①（　　）的用法　②（　　）的用法　③（　　）的用法

※「～的用法」＝「～として使う」

① 名詞的用法

（　　）　　To become a lawyer is not easy.
（　　）　　My dream is to become a lawyer.
（　　）　　I want to become a lawyer.

※弁護士になることがほしい。→ 弁護士になりたい。

② 形容詞的用法　※形容詞…（　　）を修飾する
　一般的な形容詞…名詞を（　　）から修飾する
　　例：an (　　　　) book　「おもしろい本」
　不定詞の形容詞的用法…名詞を（　　）から修飾する
　　例：a book (　　　　　)　「読むための本」

類題

次の文の不定詞の用法を答え、日本語に訳しなさい。

(1) He loves to walk along the river every morning.

(2) I don't have any coins to use a copy machine.

(3) Do you need something to write with?

(4) I think you have the flu. You need to see a doctor.
　　※flu：インフルエンザ

解 答

例題の解答
　(1) 名詞的用法　　この箱を１人で運ぶことは不可能です。
　(2) 名詞的用法　　彼女の夢は歌手になることです。
　(3) 名詞的用法　　彼女は今週末バスケットボールをやりたがっています。
　(4) 形容詞的用法　私は旅の間に読むための本を買いました。
　(5) 形容詞的用法　何か飲むものをいただけませんか？

類題の解答
　(1) 名詞的用法　　彼は毎朝川沿いを歩くことが大好きです。
　(2) 形容詞的用法　コピー機を使うためのコインを１枚ももっていません。
　(3) 形容詞的用法　何か書くものが必要ですか？
　　※最後のwithが「書くために使う道具」を表している。
　　→ I write with a pencil.
　　「何に書くのか（ノートなど）」を聞くときは最後にonを置く。
　　→ I write on a notebook.
　(4) 名詞的用法　　あなたはインフルエンザにかかっていると思う。医者に診てもらわないと（診てもらう必要がある）。

35 不定詞② ― 副詞的用法

例題

次の文の不定詞をぬき出し、全文を日本語に訳しなさい。

(1) I went to a convenience store to buy some milk.

(2) I was really happy to see him at last.

(3) To open this door, you need to enter the password.

解説と要点チェック ⇨まとめは p.198

副詞的用法は、とりあえず
この２パターンだけ覚えればいい

③ 副詞的用法　※副詞…（　　　）を修飾する。特に（　　　）

- （　　）：He is saving money to buy a new smartphone.

  彼は新しいスマートフォンを（　　　　　）お金をためている。

- （　　）の原因：I am so glad to see you.

  あなたに（　　　　　）うれしいです。

類題

次の文の不定詞をぬき出し、全文を日本語に訳しなさい。

(1) My father goes jogging every day to lose weight.

(2) She was so happy to read a letter from you.

(3) I want to practice more to improve my skills.

解答

例題の解答
- (1) 不定詞：to buy
  私は牛乳を買うためにコンビニエンスストアに行った。
- (2) 不定詞：to see
  ついに彼に会えてとてもうれしかった。
- (3) 不定詞：to open, to enter
  このドアを開けるためには、パスワードを入力する必要がある。

類題の解答
- (1) 不定詞：to lose
  私の父は、体重を減らすために毎日ジョギングをします。
- (2) 不定詞：to read
  君からの手紙を読んで、彼女はとてもうれしかった。
- (3) 不定詞：to practice　to improve
  私は自分の技術を上げるために、もっと練習したいです。

36 不定詞③ ― 動詞＋目的語＋to不定詞、

例題

次の文の（ ）に、日本語の意味に合うように適語を入れなさい。

(1) 彼は私に、10時にここに来るように言った。

He ( ) ( ) ( ) come here at ten.

(2) 私は彼女の宿題の手伝いをするよう頼まれた。

I ( ) ( ) ( ) help her with her homework.

(3) その老人は私に、洞窟の近くに行かないように忠告した。

That old man ( ) ( ) ( ) ( ) get close to the cave.

(4) 私は彼に、このかばんを彼に渡すように命令された。

I ( ) ( ) by him ( ) pass this bag to him.

解説と要点チェック　⇨まとめは p.198

He ( ) me ( ) read this book.
彼は私に、この本を読むようにと言った。

|動詞＋人＋to不定詞| …tell / ask / advise / order / want

例1 : She ( ) him ( ) ( ) her.
　　　彼女は彼に手伝ってほしいと頼んだ。

例2 : He ( ) me ( ) ( ) ( ) the room.
　　　彼は私に、部屋に入るなと命令した。

※ 受け身の場合：|be動詞＋過去分詞＋to不定詞|

例 : I ( ) ( ) ( ) help her.
　　私は彼女を手伝うように頼まれた。

不定詞の否定

類題

次の文の ( ) に、日本語の意味に合うように適語を入れなさい。

(1) 両親は私に日本にいてほしいと思っている。

My parents (　　) me (　　) (　　) in Japan.

(2) 筆記用具をもってくるように言われた。

I (　　) (　　) (　　) bring pens and notebooks.

(3) 彼は私に、遅刻をしないようにと忠告した。

He (　　) me (　　) (　　) (　　) late.

(4) 彼に車に乗せてほしいと頼んだらどうですか？

Why don't you (　　) him (　　) give you a ride?

解　答

例題の解答
(1) told me to
(2) was asked to
(3) advised me not to
(4) was ordered, to

類題の解答
(1) want, to stay [be]
(2) was　told　to
(3) advised, not　to　be
(4) ask, to

37 不定詞④ ― it 〜 for to ... 構文など

> **例題**

次の英文を日本語に訳しなさい。

(1) It is very easy for me to understand English grammar.

(2) He stopped talking with her.

(3) He stopped to talk with her.

解説と要点チェック ⇨ まとめは p.198

今さら聞けない！
「仮主語」とか「形式主語」ってなんですか？
意味がよくわかりません。

■ it for to 構文

<u>友人たちと一緒にギターを弾くこと</u>は、私にとってとても楽しい。
(　　　　　　　　　　　　　) is a lot of fun for me.

(　) is a lot of fun (　　) (　　　　　　　　　　　).
　↑仮主語　　　　　　↑省略されることが多い

※ It is 〜で始まる文：「<u>itを見たらtoを探す</u>」（toの後ろが真主語）

動名詞と不定詞の名詞的用法は
実は意味が微妙に違います

■ 不定詞の名詞的用法と動名詞（両方とも「〜すること」と訳す）

We enjoyed <u>to dance</u> last night. … (　　　)
We enjoyed <u>dancing</u> last night. … (　　　)

● 動名詞のみを目的語にとる動詞 → (　　／　　) 志向
finish / give up / avoid / mind / cannot help など
例：I finished eating. ／ He couldn't help laughing.

- 不定詞のみを目的語にとる動詞 → (　　　) 志向

  want / hope / wish / hope / agree など

  例：I want to play golf this weekend. ／ I agree to go with you.

- 目的語が不定詞と動名詞で意味がかわる動詞

  remember / forget / like など

  例：I remember seeing him.　　私は彼に (　　　　　) を覚えている。
  　　I remember to see him.　　私は彼に (　　　　　) を覚えている。
  　　　　　　　　　　　　　　　＝「忘れずに彼に会う」

類題

次の英文を日本語に訳しなさい。

(1) Is it possible for you to pick me up tonight?

(2) I forgot to lock my bicycle.

(3) Do you remember having dinner at this restaurant before?

(4) It is so convenient to be able to use Wi-Fi in this café.

(5) You should avoid eating too much before you go to bed.

解　答

例題の解答
- (1) 英文法を理解することは、私にとってとても簡単だ。
- (2) 彼は彼女と話すことをやめた。
- (3) 彼は彼女と話すために立ち止まった。

類題の解答
- (1) 今晩車で迎えに来てもらうことはできますか？
- (2) 私は自転車の鍵をかけ忘れた。
- (3) 以前にこのレストランで夕食を食べたことを覚えていますか？
- (4) このカフェでWi-Fiが使えるのはとても便利だ。
- (5) 寝る前に食べ過ぎるのは避けるべきだ。

11章 不定詞　演習問題

1．用法に注意して、次の日本文を英語に訳しなさい。

(1) あなたにお会いできてうれしいです。

(2) 私は法律の勉強をしたい。

(3) 私は何か飲むものがほしい。

(4) 私はコンサートのチケットを買うために働いている。

(5) 何か書くものをお借りできませんか？

2．（1）〜（3）は各英文を、it 〜 for to...構文を使って書き換えなさい。（4），（5）は日本文を英語に訳しなさい。

(1) To teach is good for you.

(2) Not to eat too much is good for you.

(3) To fly without using tools is impossible for us.

(4) 私は彼女を助けるようにと頼まれた。

(5) 彼は私に、1人で外に出かけないようにと助言してくれた。

3．to不定詞と動名詞の違いに注意しながら、次の英文を日本語に訳しなさい。

(1) I stopped watching my smartphone.

(2) I stopped to watch my smartphone.

(3) I'll never forget to lock the door again.

(4) I tried to open the door.

(5) I remember being helped by you.

4. 下線部の語を適切な形（動名詞か不定詞）に直しなさい。

(1) I finished do my homework.

(2) I couldn't avoid pay much money.

(3) I agreed stop smoking.

(4) I couldn't help laugh at the actor.

(5) I gave up go to the movie.

解答

1. (1) I am happy [glad] to see [meet] you.
   (2) I want to study law.
   (3) I want something to drink.
   (4) I work [am working] to buy a concert ticket.
   (5) Can I borrow something to write with?

2. (1) It is good for you to teach.
   (2) It is good for you not to eat too much.
   (3) It is impossible for us to fly without using tools.
   (4) I was asked to help her.
   (5) He advised me not to go out alone.

3. (1) 私はスマートフォンを見るのをやめた。
   (2) 私はスマートフォンを見るために立ち止まった。
   (3) 私はもう二度と扉に鍵をかけるのを忘れない。
   (4) 私はドアを開けようとした。
   (5) 私はあなたに助けられたことを覚えている。

4. (1) I finished doing my homework.
   (2) I couldn't avoid paying much money.
   (3) I agreed to stop smoking.
   (4) I couldn't help laughing at the actor.
   (5) I gave up going to the movie.

38 分詞① ― 現在分詞、過去分詞

そもそも……「分詞」とは?
つまりなんですか?

例題

次の ( ) 内の動詞を、適切な形に書き換えなさい。

(1) Look at that (cry) boy.

(2) I bought a (use) car.

(3) The girl (talk) with my father is Mika.

(4) This is a book (write) in simple English.

(5) Who's the woman (wait) at the door?

(6) There were many (fall) leaves on the ground.

解説と要点チェック ⇨まとめは p.199

訳してみよう

例1： a singing girl
　→訳：(　　　　　) 女の子
例2： a broken glass
　→訳：(　　　　) グラス

両方とも名詞を修飾している。
つまり (　　) 詞のはたらきをする。

■ **分詞の使い方**

① 分詞1語のみで修飾するときは (　　) から名詞を修飾する。
② 2語以上で修飾するときは (　　　) から名詞を修飾する。
例3： a girl (　　　　　　　　) 向こうで歌っている女の子
例4： a glass (　　　　　　　　　) 彼が割ったグラス

類題

次の（　）内の動詞を適切な分詞にかえて、日本語に訳しなさい。

(1) Her father has a car (make) in Germany.
　※Germany：ドイツ

(2) The man (read) a comic is my teacher.

(3) These are the pictures (take) by my mother.

(4) He has a girl friend (live) near his house.

(5) My aunt lives in an old house (build) 100 years ago.

解　答

例題の解答
　(1) crying
　(2) used
　(3) talking
　(4) written
　(5) waiting
　(6) fallen

類題の解答
　(1) made　　　彼女のお父さんは、ドイツ製の車をもっています。
　(2) reading　　マンガを読んでいる男の人は、私の先生です。
　(3) taken　　　これらは、私の母が撮った写真です。
　(4) living　　　彼は家の近くに住んでいるガールフレンドがいます。
　(5) built　　　私の叔母は、100年前に建てられた古い家に住んでいます。

39 分詞② — 文と文をつなぐ

例題

次の２文を現在分詞か過去分詞を使って、１つの文にして日本語に訳しなさい。

(1) Don't touch this wall.

　　It was painted a few minutes ago.

(2) This is a new smartphone.

　　It was given to me by my grandfather.

(3) The man is Mr. Watanabe.

　　He is taking pictures.

(4) His father bought a new car.

　　It was made in Italy.
※Italy：イタリア

解説と要点チェック　⇨まとめは p.200

例：①She wears a coat.　　彼女はコートを着ている。

　　②It is made of wool.　　それは羊毛でできている。

１つの文にする方法：

(1) ２つの文で共通する名詞を見つける

　→①の名詞（　　）と②の代名詞（　　）が共通している。

(2) ②の代名詞（　　）の後ろの（　　　　）を削除する。

(3) ①の名詞（　　）の後ろにつなげて１文にする。

完成→She wears a coat （　　　　） of wool.

　　　彼女は羊毛でできたコートを着ている。

類題

次の２文を、現在分詞か過去分詞を使って、１つの文にして日本語に訳しなさい。

(1) Who is that cute girl?

　　She is singing on the stage.

(2) That is the time machine.

　　It was invented by Dr. Brown.　※invent：発明する

(3) The guy is a famous DJ.

　　He is talking on TV now.　※guy：男の人、やつ

(4) The Olympic stadium is very big.

　　It was built in 2012.　※stadium：競技場

解答

例題の解答
- (1) Don't touch this wall painted a few minutes ago.
　数分前にペンキを塗られたその壁に触れるな。
- (2) This is a new smartphone given to me by my grandfather.
　これは祖父が私にくれた新しいスマートフォンです。
- (3) The man taking pictures is Mr. Watanabe.
　写真を撮っている男の人は渡辺さんです。
- (4) His father bought a new car made in Italy.
　彼のお父さんはイタリア製の新車を買いました。

類題の解答
- (1) Who is that cute girl singing on the stage?
　ステージで歌っているあのかわいい女の子はだれですか？
- (2) That is the time machine invented by Dr. Brown.
　あれはブラウン博士が発明したタイムマシンです。
- (3) The guy talking on TV now is a famous DJ.
　いまテレビで話している男の人は、有名なDJです。
- (4) The Olympic stadium built in 2012 is very big.
　2012年に建てられたオリンピック競技場はとても大きい。

12章 分詞　演習問題

1．次の文の（　）内の語を、正しい分詞の形にかえなさい。

(1) It was a very (excite) movie.

(2) This table (design) by that artist is very expensive.

(3) I like this song (sing) by Billy Joel.

2．右の語群から１語選び、適切な分詞の形に書き換えて、文を完成させなさい。

(1) There were a lot of umbrellas on the train.

(2) She bought a watch in Switzerland.

(3) That old lady on the stage is my grandmother.

| sing |
| leave |
| make |

3．次の（　）内の語句のうち１語を適切な分詞に書き換えて、日本語の内容を表すように並べかえなさい。

(1) あなたはその国で話されている言語を話せますか？

　　Can you speak the language (country ／ in ／ speak ／ that)?

(2) これは、私の祖父が30年前につくった橋です。

　　This is the bridge (30 years ／ my grandfather ／ by ／ build ／ ago).

(3) あそこでギターを弾いている人は、私の弟です。

　　The man (there ／ the guitar ／ over ／ play) is my brother.

4．次の英文を日本語に訳しなさい。

(1) The English class taught by Mr. Nakano is very interesting.

(2) I saw a huge object flying in the sky the other day.　　※object：物体

(3) My brother wants to buy a camera made in Germany.

(4) I emailed my father working in Australia.

(5) The movie made by Mr. Matsumoto is very strange.

5．次の日本文を、分詞を使って英語に訳しなさい。

(1) 彼が書いた物語はとてもおもしろい。

(2) 椅子に座っている男の子はだれですか？

(3) 東京ドームには、たくさんの興奮したファンがいた。
　※　東京ドーム：Tokyo Dome　　ファン：fan

解　答

1. (1) exciting　　(2) designed　　(3) sung

2. (1) There were a lot of umbrellas <u>left</u> on the train.（leave → left）
   (2) She bought a watch <u>made</u> in Switzerland.（make → made）
   (3) That old lady <u>singing</u> on the stage is my grandmother.（sing → singing）

3. (1) Can you speak the language (<u>spoken</u> in that country)?
      （speak → spoken）
   (2) This is the bridge (<u>built</u> by my grandfather 30 years ago).
      （build → built）
   (3) The man (<u>playing</u> the guitar over there) is my brother.
      （play → playing）

4. (1) 中野先生が教える英語の授業は、とてもおもしろい。
   (2) 先日、空に巨大な飛行物体を見た。
   (3) 私の兄（弟）は、ドイツ製のカメラを買いたがっている。
   (4) 私はオーストラリアで働いている父にメールをした。
   (5) 松本氏が作った映画は、とても不思議だ。

5. (1) The story written by him is very interesting.
   (2) Who is the boy sitting on the chair?
   (3) There were a lot of excited fans in Tokyo Dome.

40 関係代名詞① ― 主格、目的格

例題

次の文の（ ）に適切な関係代名詞を入れ、日本語に訳しなさい。

(1) The man (　　　) is standing over there is my father.
(2) This is a book (　　　) was written more than 100 years ago.
(3) The girl (　　　) I saw on the train yesterday was very cute.

解説と要点チェック　⇨ まとめは p.201

下の難解な図の解説は、こちら！

大きな　家　→　a (　　) house
　　　　　　　（　）詞↑
　　　　　　　　または (　　　)

赤い屋根の　家　→　a house (　　　)(　　　　　　)
　　　　　　　　　　　　↑主語　　　(　　)格
　　　　　　　先行詞が人のときは (　　　)
　　　　　　　a girl (　　) has a long hair

私が去年買った　家　→　a house (　　　)(　　　　　　)
　　　　　　　　　　　　　↑目的語　　(　　)格
　　　　　　　　　　　※省略できる
　　　　　　　先行詞が人のときは (　　　 / 　　　)
　　　　　　　a girl (　　 / 　　) I saw yesterday

修飾される名詞 (　　　) ＋関係代名詞＋節（ＳＶ）
　　　　　　　　　　(　　　)

関係代名詞を含む文も、こうすればスッキリ

a bird ＜which has a long tail＞
　訳：(　　　　　)(　　) 格

a car ＜which you bought＞
　　訳：(　　　　　)(　　) 格　※省略できる

a book ＜which was written in English＞
　　訳：(　　　　　)(　　) 格

※ 先行詞＜関係詞節＞
　　↑文のなかではこの部分全体が(　　)詞のはたらきをする。
※名詞は文のなかで、(　　)・(　　)・(　　)になる。

① The movie I saw yesterday was very interesting. (　　　)
② This is the movie I saw yesterday. (　　　)
③ He doesn't like the movie I saw yesterday. (　　　)

類題

次の文の（　）に適切な関係代名詞を入れ、日本語に訳しなさい。

(1) Look at that girl (　　　) has long blond hair.

(2) This song was made by a person (　　　) we know very well.

(3) China is a country (　　　) has the largest population in the world.

解答

例題の解答
(1) who [that]　あそこに立っている男の人は、私の父です。
(2) which [that]　これは100年以上前に書かれた本です。
(3) who (m)　私が昨日電車のなかで見た女の子はとてもかわいかった。
　※目的格ではwhoはwhomとなるが、"m"は省略されることが多い

類題の解答
(1) who [that]　あの長い金髪の女の子を見てください。
(2) who (m) [that]　この歌は私たちがよく知る人物によって作られた。
(3) which [that]　中国は世界最大の人口をもつ国です。

41 関係代名詞② ― 所有格

例題

次の文の（　）内の語を、日本語の意味に合うように並べかえなさい。

(1) 私には父親が歯科医の友人がいます。

I have a friend (a ／ father ／ is ／ whose ／ dentist).

(2) 赤い屋根の家を探しています。

I'm looking for a house (red ／ is ／ roof ／ whose).

(3) あの髪がとても長い女の人が、私の姉です。

That woman (is ／ very ／ whose ／ hair ／ long) is my sister.

解説と要点チェック ⇨まとめは p.202

今さら聞けない！
「主格」は主語、「目的格」は目的語、
では「所有格」は？

- 「お母さんが女優の友だち」
  → a friend ＜ (　　　　) (　　　　　　) is an actress ＞
  　先行詞「友だちの〜」
  　　　　(　　) 格

- お兄さんが野球選手の友だち
  → a friend (　　　　　　　　) is a baseball player

- 窓がとても大きな家
  → a house (　　　　　　　) are very big
  　　　↑この全体が (　　　　)

The house whose windows are very big is mine.　　(　　)
He bought a house whose windows are very big.　　(　　)
He lives in a house whose windows are very big. 前置詞の(　　)

類題

次の文の（　）内の語句を、日本語の意味に合うように並べかえなさい。

(1) 頂上が雪で覆われているあの山が富士山です。

That mountain (with / whose / snow / is / top / covered) is Mt. Fuji.

(2) 中国は人口が世界一の国です。

China is a country (the largest / the world / population / whose / is / in).

(3) これは、だれが書いたかわからない、とても古い物語です。

This is a very old story (know / writer / we / whose / don't).

解答

例題の解答
(1) whose father is a dentist
(2) whose roof is red
(3) whose hair is very long

類題の解答
(1) whose top is covered with snow
(2) whose population is the largest in the world
(3) whose writer we don't know

13章 関係代名詞　演習問題

1．次の文の（　）に適切な関係代名詞を入れなさい。

(1) The man (　　　) you met yesterday is John.

(2) The girl (　　　) is walking around is Hanako.

(3) The book (　　　) you are reading is difficult.

(4) I have a friend (　　　) mother is a singer.

(5) The man (　　　) you are talking with is the President.

2．次の（1）〜（5）のうち、関係代名詞を省略できるものをすべて選びなさい。

(1) The girl whose father is a writer is Jane.

(2) The box which you have is small.

(3) The city which has many buildings is Tokyo.

(4) The person whom you were laughing at was a clerk.

(5) The language which you are speaking must be Japanese.

3．次の文の（　）内の語句を、適切に並べかえなさい。

(1) He is (the station ／ whom ／ saw ／ the boy ／ at ／ I) yesterday.

(2) This is (for ／ which ／ my father ／ the bicycle ／ bought ／ me).

(3) I am reading a book (was ／ 100 years ago ／ written ／ which ／ more than).

(4) He talked with a man (actor ／ is ／ whose ／ father ／ famous ／ a).

(5) China is a country (the world ／ population ／ is ／ in ／ whose ／ the largest).

4．次の英文を日本語に訳しなさい。

(1) What is this building whose windows are very big?

(2) I want to see the man whom I talked with yesterday.

(3) The girl who is standing alone by the tree is my sister.
(4) Do you know the person who invented the phone?
(5) She is an actress whose mother was a famous singer.

5．次の日本文を英語に訳しなさい。

(1) 公園で遊んでいる子どもたちは私の娘（たち）です。
(2) あなたのもっているペンはとても古い。
(3) 私が去年訪れた都市はとても大きかった。
(4) きのうあなたが話をしていた人は日本人です。
(5) 私は、母親が女優である友人がいます。

解答

1. (1) who(m)　(2) who　(3) which　(4) whose　(5) who(m)
   (4) 以外はthatも可

2. (2) (4), (5)

3. (1) He is (the boy whom I saw at the station) yesterday.
   (2) This is (the bicycle which my father bought for me).
   (3) I am reading a book (which was written more than 100 years ago).
   (4) He talked with a man (whose father is a famous actor).
   (5) China is a country (whose population is the largest in the world).

4. (1) この窓がとても大きな建物は何ですか？
   (2) 私はきのう話した男性に会いたい。
   (3) 木のそばに１人で立っている女の子は、私の妹（姉）です。
   (4) 電話を発明した人を知っていますか？
   (5) 彼女は、母親が有名な歌手だった女優です。

5. (1) The children who are playing in the park are my daughters.
   (2) The pen (which) you have is very old.
   (3) The city (which) I visited last year was very large [big].
   (4) The person (whom) you were talking to (with) yesterday is a Japanese.
   (5) I have a friend whose mother is an actress.
   　　　　　　　　　(1)～(4) の関係代名詞はthatも可

42 前置詞① ― 前置詞の意味

そもそも……前置詞っていっぱいありすぎるけど、どうやって覚えればいいの？

例題

次の英文の（　）内の前置詞から、適切なものを1つ選びなさい。

(1) There is a clock (at ／ on ／ in) the wall.

　　A bird is flying (on ／ above ／ over) the bridge.

　　The food court is (on ／ in ／ with) this floor.

(2) The cat is sleeping (down ／ under ／ below) the table.

　　My town is (under ／ down ／ below) the sea level.
　　※ sea level：海面

(3) I did a part-time job (in ／ during ／ for) the summer vacation.

　　He has been reading a book (during ／ in ／ for) one hour.

　　I will finish this job (by ／ until ／ in) ten minutes.

(4) That song is very popular (in ／ between ／ among) teenagers.

　　His house is standing (among ／ between) two buildings.

解説と要点チェック　⇨ まとめは p.202

on って「上」っていう意味だと思ってたでしょ。実は違います！

【時間】
- 時間の一点：I woke up (　　) five o'clock.
- 日にち／曜日：He was born (　　) November 24.

- 一定期間内（週／月／年）：
  　　We have a school festival (　　) September.
  　　　　　　　　　　　　　(　　) 2015.
  　　　　　　　　　　　　　(　　) five days.
- 一定の期間：I'll stay here (　　) five days.
- 〜のあいだ：I traveled around Europe (　　　) the summer vacation.
- 期限：You need to finish your report (　　) tomorrow.
- 継続：You can stay here (　　) this weekend.

【場所／位置】

- 場所の一点：We took a train (　　) Shibuya. / Look (　　) him.
- 内側／内部：I live (　　) Shizuoka. / He stayed (　　) the house all day.
- 接触／関連：There is a clock (　　) the wall.
  　　　　　　My house is (　　) the street.
  　　　　　　He wrote a book (　　) ancient China.
- 複数／2者のあいだ：He is very popular (　　　) his classmates.
  　　　　　　　　　The office is (　　　) a convenience store and a bakery.
- 真上／真下：The plane flew (　　) that mountain.
  　　　　　　I put a lot of books (　　) the bed.
- 〜より上／下：His room is (　　　) a restaurant.
  　　　　　　　A restaurant is (　　　) his room.

【方向】

到達点／目的地：She went (　　) school. / I talked (　　) her.
方向：I left Osaka (　　) Tokyo. / This bus is (　　) Shibuya.
出発点／起源：My teacher is (　　　) Canada.
　　　　　　　Cheese is made (　　) milk.

類題と解答は次のページ

類題

次の英文の（　）内の前置詞から、適切なものを１つ選びなさい。

(1) I will leave Japan (to ／ for) America next week.

(2) Now, you see the sun (on ／ over ／ above) the horizon.

(3) Can you finish this report (until ／ by ／ for) tomorrow?

(4) Let's meet (in ／ on ／ at) the station at five.

(5) (In ／ For ／ During) my trip to Australia, I was spoken (with ／ to ／ for) in Japanese many times.

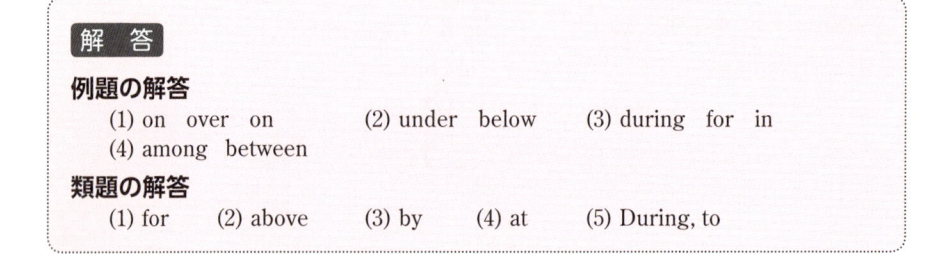

解　答

例題の解答
　(1) on　over　on　　(2) under　below　　(3) during　for　in
　(4) among　between

類題の解答
　(1) for　　(2) above　　(3) by　　(4) at　　(5) During, to

Column
重要！　リスニング試験での心得①

　今回は、みんなが苦手な「リスニング問題」に関するコラムです。リスニングの試験は基本的に、最初に「音量調整」のために、サンプル問題と解答を3分ほど流します。
「このセクションでは〜、選択肢はA〜　B〜。よって、答えは〜」というふうにです。受けたことがある方はご存知ですよね？　さて、多くの人が「耳を慣らすため」などの理由でそれをバカ正直に聞いています。しかし、そんなことをする必要は一切ありません。では、その間に何をするか？
「ひたすら、各問題の選択肢を読んでください！」
　しかも、できる限り先まで！　問題用紙を開いていい状態になった瞬間に、イグザンプル問題をうだうだ読んでいる間に、とにかく選択肢を先まで読んでください。では、なぜそれが重要なのか？　それは、本文を聞くときに、「どこを・何を」聞くのが重要かということが、事前にわかるからです。　　　　　　　　　　　　（p.165へ続く）

43 前置詞② ― 前置詞句

例題

次の英文の（ ）内の部分が、文中で形容詞、副詞のどちらのはたらきをするかを答え、それが修飾する語句も答えなさい。

(1) Can you pass me the pen (on the table)?

(2) The cat is sleeping (under the sofa).

(3) We are talking (about moving to Osaka).

(4) The boy (in this picture) is my cousin.

(5) (In Japan), we take off our shoes when we get in a house.

(6) I think your wallet is (on the table) (in the kitchen).

解説と要点チェック　⇨まとめは p.204

"I look at him."って、"I"が主語、"look at"が動詞、"him"が目的語だと思っている人が多いけど、実はそれは大間違いなんです。詳しくはこちら。

前置詞＋（名詞 or 動名詞）＝（　　　　）と呼ぶ

※「句」…「（　　　）の集まりで（　　　　　）がないもの」

前置詞句の3つのはたらき

① Look at the house (　　　　　).
　　　　　　　　　　　前置詞句が（　　）詞の役割をはたしている。
　訳：（　　　）家を見てください。

② They are talking (　　　　　　　).
　　　　　　　　　　　前置詞句が（　　）詞の役割をはたしている。
　訳：彼らは（　　　）話している。

③ He is (　　　　　).　訳：彼は（　　　　）います。
　　　　　　　前置詞句がbe動詞を修飾している。

類題

文中の前置詞句をぬき出し、それぞれが修飾している語句を答えなさい。

(1) The girl who is talking with him is from Canada.

(2) In this country, people celebrate a new year in their hometown.

(3) "Do you have some time for dinner tonight?" "Sorry, I feel a little sick and will be at home tonight."

解　答

例題の解答
 (1) 形容詞 / the pen (2) 副詞 / is sleeping (3) 副詞 / are talking
 (4) 形容詞 / the boy (5) 副詞 / take off
 (6) 副詞 / is   形容詞 / the table

類題の解答
 (1) with him → is talking from Canada → is
 (2) In this country → celebrate in their hometown → celebrate
 (3) for dinner → some time at home → be

14章 前置詞　演習問題

1．次の各英文がほぼ同じ意味になるように、（　）に適切な前置詞を入れなさい。

(1) I see an airplane over the rainbow.
　　= I see a rainbow (　　　) the airplane.
(2) His room is above the restaurant.
　　= The restaurant is (　　　) his room.
(3) When I was staying in Tokyo, I had a lot of fun.
　　= (　　　) my stay in Tokyo, I had a lot of fun.
(4) We discussed this problem.　※discuss：議論する
　　= We talked (　　　) this problem.
(5) This train is going to Shinagawa.
　　= This train is (　　　) Shinagawa.

2．次の文の（　）に、適切な前置詞を入れなさい。

(1) I live (　　　) Tokyo.
(2) Look (　　　) the house.
(3) Butter is made (　　　) milk.
(4) This bridge is made (　　　) stone.
(5) I arrived (　　　) the station.

3．下の文の下線部が、形容詞句か副詞句のどちらかを答えなさい。

(1) The students in this school are from different countries.
(2) Can you pass me the salt on the table?
(3) He is drawing a picture by the river.
(4) I bought some textbooks for my new class.
(5) English is spoken in many countries in the world.

4．次の日本文を英語に訳しなさい（前置詞句を使うこと）。

(1) あの壁にかかっている絵はピカソによって描かれました。

(2) あの本棚にある本はとても古い。

(3) 彼は自分の部屋で父親と話をしている。

(4) あの日本出身の男の子は背が高い。

(5) 彼は自分の家のなかにいる。

解　答

1. (1) under　(2) below　(3) During　(4) about　(5) for

2. (1) in　(2) at　(3) from　(4) of　(5) at

3. (1) 形容詞句　(2) 形容詞句　(3) 副詞句　(4) 副詞句　(5) 副詞句、形容詞句

4. (1) That picture on the wall was painted by Picasso.
   (2) The books on that bookshelf are very old.
      The book on that bookshelf is very old.
   (3) He is talking with [to] his father in his room.
   (4) That boy from Japan is tall.
   (5) He is in his house.

44 接続詞① ― 等位接続詞と従属接続詞

そもそも……接続詞って、何と何をつなぐものなの？

例題

次の文の（　）に、下から最も適切な接続詞を選んで入れなさい。

(1) My wife likes cats (　　) I like dogs.
(2) Is this your pen, (　　) hers?
(3) I got up early this morning, (　　) I missed the train.
(4) (　　) I was a child, I couldn't eat tomatoes.
(5) (　　) you are busy now, I can talk with you later.
(6) She said (　　) she was very hungry.

| and　but　or　if　when　that |

解説と要点チェック　⇨まとめは p.204

今さら聞けない！
「等位接続詞」と「従属接続詞」の違いがよくわかりません。

等位接続詞……2つの節が（　　）な関係
　例：I like cats （　　） she likes dogs.
　　　私は猫が好き　　でも　　彼女は犬が好き

従属接続詞……1つの節がもう1つの節を（　　）する
　例：（　　） I was a child, I couldn't swim.
　　　私が子どものとき　　　私は泳げなかった
　　　（　）節　　　　　　　（　）節

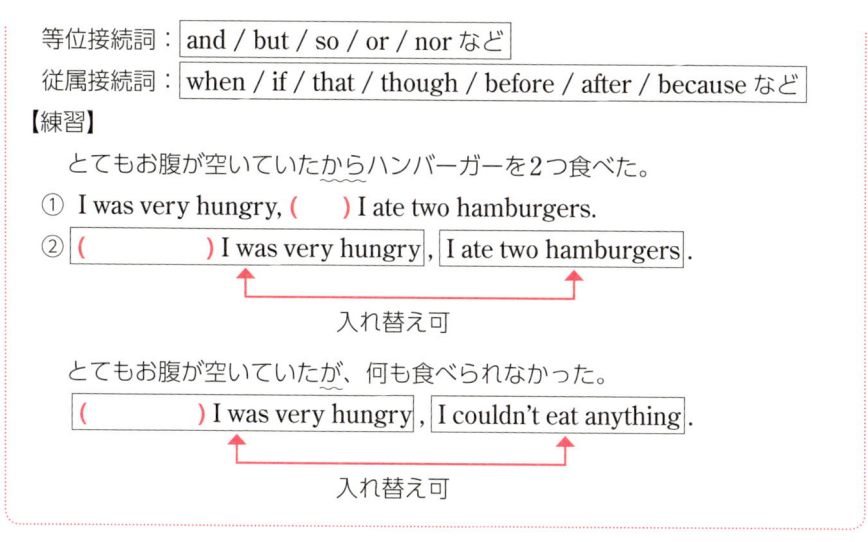

等位接続詞： and / but / so / or / nor など
従属接続詞： when / if / that / though / before / after / because など

【練習】
とてもお腹が空いていたからハンバーガーを2つ食べた。
① I was very hungry, (　　) I ate two hamburgers.
② (　　　　) I was very hungry , I ate two hamburgers .
　　　　　　　　入れ替え可

とてもお腹が空いていたが、何も食べられなかった。
(　　　　) I was very hungry , I couldn't eat anything .
　　　　　　　　入れ替え可

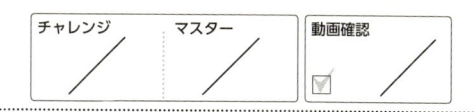

類題と解答は次のページ

類題

次の文の (　) に入る最も適切な接続詞を下から選んで入れなさい。

(1) You need to use a black pen, (　　) a blue pen is also possible.

(2) (　　) it is very cold today, he doesn't wear a coat.

(3) I think (　　) it is going to rain tomorrow.

(4) Please call me (　　) you get back home.

(5) I can't sleep tonight (　　) I have to study for tomorrow's test.

(6) You should take this medicine (　　) you go to bed.

because / so / or / when / if / that / since / before / though

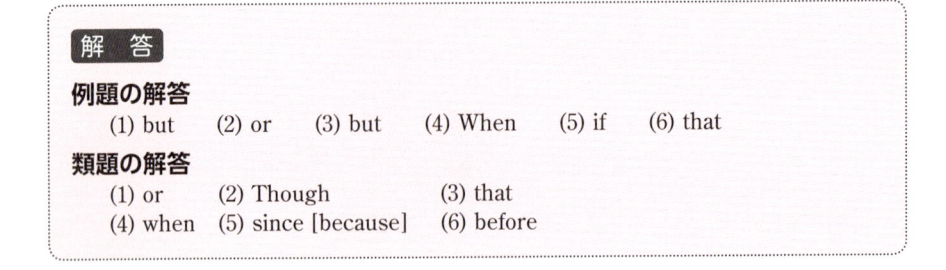

解答

例題の解答
　(1) but　　(2) or　　(3) but　　(4) When　　(5) if　　(6) that

類題の解答
　(1) or　　(2) Though　　(3) that
　(4) when　　(5) since [because]　　(6) before

Column
重要！　リスニング試験での心得②

　　p.157からの続きです。
　　例えば、以下が本文だとします。
「8月21日水曜日、トムはロサンゼルスに行きました。大学の見学をするためです。トムは、ロサンゼルスに着いてからホテルに泊まりましたが、許可証を忘れてしまいました。そこで、大学に電話をかけ状況を説明しました。すると、大学側は彼の状況を認めて、2日後に彼の見学を許可しました」
　　これをじっくりと聞いた後で選択肢を考えなければならないとします。すると、「すべての情報を」覚えておかねばなりません。ところが、選択肢を先に読んでおく場合。
「A－水曜日　　　B－金曜日　　　C－土曜日　　　D－日曜日」
　　もしくは、
「A－次の日　　　B－2日後　　　C－10日後　　　D－20日後」
　　となっているわけですよ。もし、選択肢を先に読んでいれば、「トムだとか、ロサンゼルスだとか、許可証を忘れた」などという情報ははっきりいって「どうでもいい」んです。リスニングをするときに、「曜日および日数」に関することを聞くことに集中するわけです。当たり前のことですが、正答率が一気に上がります。パートが変わったときにも、イグザンプル問題は無視して選択肢を読んでください。この方法、一度試してみてください。

45 接続詞② ― 名詞節と副詞節

例題

次の英文を日本語に訳しなさい。またそれぞれの下線部は名詞節、副詞節のどちらかを答えなさい。

(1) Please call me <u>when he comes back</u>.

(2) Please tell me <u>when he will come back</u>.

(3) I want you to help me <u>if you have time</u>.

(4) I want to know <u>if you have time</u>.

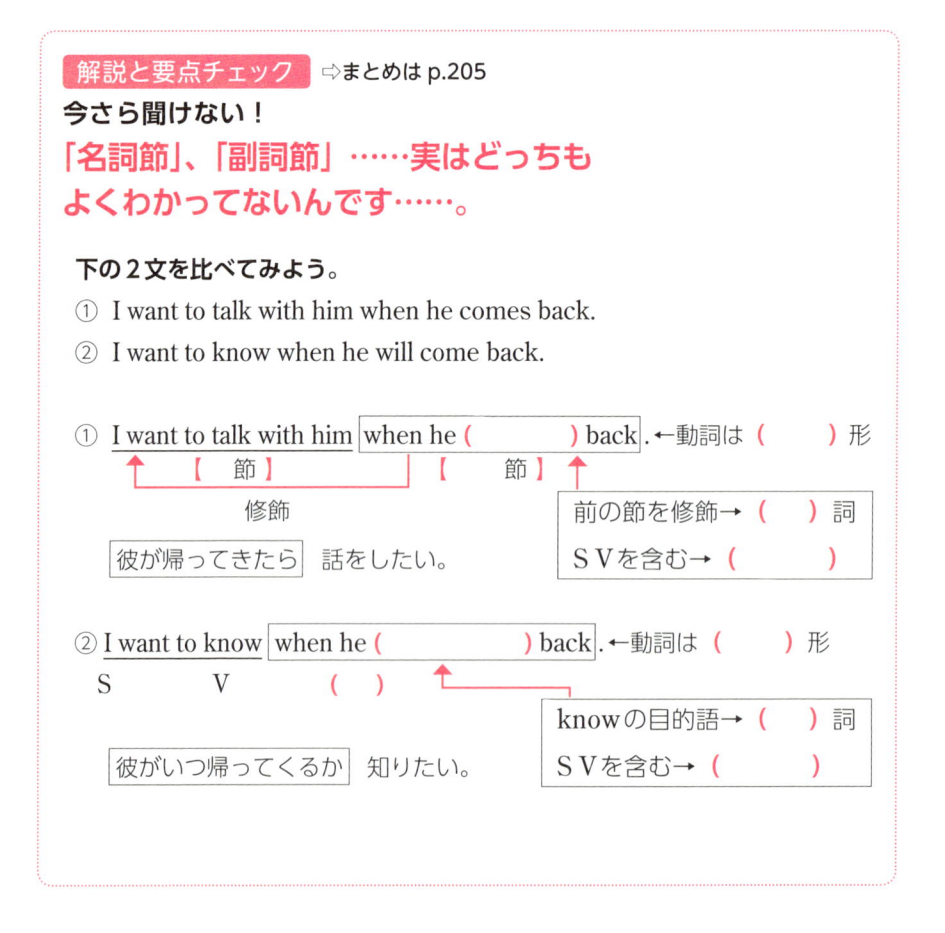

解説と要点チェック ⇨ まとめは p.205

今さら聞けない！
「名詞節」、「副詞節」……実はどっちもよくわかってないんです……。

下の２文を比べてみよう。

① I want to talk with him when he comes back.
② I want to know when he will come back.

① I want to talk with him | when he (　　) back |. ←動詞は (　　) 形
　　　　　　　【　節　】　　　【　節　】
　　　　　　　　　修飾　　　　前の節を修飾→ (　　) 詞
　　　彼が帰ってきたら　話をしたい。　　ＳＶを含む→ (　　)

② I want to know | when he (　　) back |. ←動詞は (　　) 形
　　S　　V　　　　　(　　)
　　　　　　　　　　　　　　　　knowの目的語→ (　　) 詞
　　　彼がいつ帰ってくるか　知りたい。　ＳＶを含む→ (　　)

類題

次の英文を日本語に訳しなさい。またそれぞれの下線部は名詞節、副詞節のどちらかを答えなさい。

(1) I want to know when he will give me his bicycle.

(2) I was so glad when he gave me his bicycle.

(3) I'll tell you the way to the station if you ask me.

(4) He asked me if I knew the way to the station.

解 答

例題の解答
  (1) 彼が帰ってきたら、私に電話してください。　　　　（副詞節）
  (2) 彼がいつ帰ってくるのかを教えてください。　　　　（名詞節）
  (3) もし時間があったら、あなたに手伝ってほしい。　　（副詞節）
  (4) あなたに時間があるかどうかを知りたい。　　　　　（名詞節）

類題の解答
  (1) いつ彼が私に自転車をくれるのかを知りたい。　　　（名詞節）
  (2) 彼が私に自転車をくれたとき、とてもうれしかった。（副詞節）
  (3) もし聞いてくれたら、あなたに駅までの道を教えます。（副詞節）
  (4) 彼は私に、駅までの道を知っているかどうかを尋ねた。（名詞節）

46 接続詞③ — 接続詞を用いた表現

例題

次の英文の（ ）に適切な語句を入れなさい。

(1) She likes not only coffee (　　　) (　　　) tea.

(2) Please bring either black (　　　) blue pen.

(3) Both my brother (　　　) I got cold.

(4) It is so cold today (　　　) I will stay home.

(5) Tell me the truth, (　　　) you'll be dead.

解説と要点チェック　⇨まとめは p.206

今さら聞けない！
「not only A 〜 but also B」って、AとB、どっちが主語になるの？

(1) not only A but also B：「AだけでなくBも」　動詞はBに対応
　※ Not only he but also I (　　　) very glad to see you.
　B as well as A
　※ I as well as he (　　　) very glad to see you.

(2) either A or B：「AもしくはB」　動詞はBに対応
　※ 否定文に注意：I don't like either coffee or tea.
　　訳：私は（　　　　　　　）好きではない。

(3) neither A nor B：「AもBもどちらも〜ない」動詞は（　　）に対応
　※ I (　　) neither carrots nor onions.
　　訳：ニンジンも玉ねぎも好きではありません。
　※ Neither you nor I (　　) satisfied with the result.
　　訳：あなたも私も結果に満足していない。

(4) so 〜 that...：とても〜なので…だ
　※ This car is (　　) expensive (　　) I can't buy it.
　　言い換え：This car is (　　) expensive for me (　　) buy.

(5) 命令文＋and/or 「〜しなさい、そうすれば／さもなくば…」

※ Exercise more, (　) you'll lose weight.

Exercise more, (　) you'll gain weight.

類題

次の英文の（　）に適切な語句を入れなさい。

(1) Both Ken (　) I (　) very hungry.

(2) I don't like either celery (　) tomatoes.
  ※celery：セロリ

  ＝ I like (　) celery (　) tomatoes.

(3) These pants are (　) tight for me (　) wear.

  ＝ These pants are (　) tight (　) I can't wear them.

(4) Tell me your name, (　) I'll tell you my name, too.

解　答

例題の解答
  (1) but also　　(2) or　　(3) and　　(4) that　　(5) or

類題の解答
  (1) and, are　　(2) or ; neither, nor
  (3) too, to ; so, that　　(4) and

15章 接続詞　演習問題

1. 次の（　）内に適切な語を入れなさい。

(1) It was rainy, (　　　) we couldn't go on a picnic.

(2) He went home, (　　　) I made him wait so long.

(3) I don't know when he (　　　) go home.

(4) We will go on a picnic, when she (　　　) here.
　　（彼女が来たら、ピクニックに行きましょう）

(5) Study more, (　　　) you will fail the test.

2. 2つの文がほぼ同じ意味になるように、（　）に適切な語を入れなさい。

(1) I had no money, (　　　) I had to go home on foot.
　　=I had to go home on foot, (　　　) I had no money.

(2) (　　　) you don't exercise more, you will gain weight.
　　=Exercise more, (　　　) you will gain weight.
　　※gain weight：体重が増える

(3) I was (　　　) tired (　　　) I couldn't move.
　　=I was (　　　) tired (　　　) move.

(4) He doesn't like (　　　) potatoes (　　　) carrots.
　　=He likes (　　　) potatoes (　　　) carrots.

(5) Both he and his father are tall.
　　=(　　　)(　　　) he (　　　)(　　　) his father (　　　) tall.

(6) (　　　) I was very tired, I studied very hard.
　　=I was very tired, (　　　) I studied very hard.

(7) I know his working hard.
　　= I know (　　　) he works hard.

(8) I finished working, and I went home.
　　= (　　　) I finished working, I went home.

(9) After I finished my homework, I went to bed.

= (　　　) I went to bed, I finished my homework.

(10) (　　　) you study hard, you will succeed in the test.

= Study hard, (　　　) you will succeed in the test.

※ succeed in：〜に成功する

解　答

1. (1) so　　(2) because　　(3) will　　(4) comes　　(5) or

2. (1) so ; because [since]
   (2) If ; or
   (3) so, that ; too, to
   (4) either, or ; neither, nor
   (5) Not　only, but　also, is
   (6) Though [Although] ; but
   (7) that
   (8) When [After]
   (9) Before
   (10) If ; and

Column

STOP！電子辞書！

　みなさん、いきなりですが、電子辞書を使って英語の勉強をしていませんか？ もしそうであるならば、いますぐそれをやめてください。電子辞書は「プロ」にとっては非常にありがたいものですが、英語を「学習」する人にとっては、百害あって一利なしのものなのです。

　「単語を覚えたいんだけれど、なかなか覚えられない。どうやったらいいんだろう」「いやいや、覚えることはできるんだけどすぐ忘れちゃう」。そういう話をよく耳にします。え？　心当たりがあるって？　ですよね、私も実際そうでした。そして、最終的に英語力とは何かというと…、当然語彙力なんですよね。単語を知らなければどんな高尚な文法や速読法を知っていても意味がありません。ではどうすれば単語を覚えやすく、しかも忘れにくくできるのでしょうか。ある人は「例文で覚えなさい」と言い、ある人は「音読しなさい」と言います。またある人は「それは人それぞれ違う」と言います。さて、正解はあるのでしょうか？　あります。

　それは、「紙の辞書の引き方」です。今の多くの学生は、何かしらの「英単語帳」を使っていると思います。そしてどこの会社のなんとかという単語帳が良いと、多くの批評家が生まれています。でも、ひとつだけシンプルな事実があります。それは、「あなた専用の単語帳ではない」ということです。あなたの志望校に絞って作られた単語帳でもなければ、ましてや、あなたが知っている単語や知らない単語を峻別して作られたものでもありません。ちょっと難しい言葉を使うと、「マーケットのボリュームゾーン」に合わせて作られたものです。40人のクラスでの授業は、「一人一人のレベルに合わせた授業」であることがありえないように、市販の単語帳だって同じなんです。そこで、あなたがやるべきは、紙の辞書を使って1年以上かけて「辞書を育てていく」ということです。あなたのその時々の実力や志望校に合わせて、最適な単語帳を紙の辞書で作れるのです。ちょっとした工夫だけで、そんな夢のような単語帳を作れるのです。

　その方法は、ぜひ、「動画」で確認してみてください。少しだけ若い中野先生を見ることができますよ（笑）
https://www.youtube.com/watch?v=7YCqIJlNkGY

本編の書き込み欄に入る用語や要点をチェック！

チェック&インプット

第1章	名詞	174〜175
第2章	動詞	176〜177
第3章	文型	178〜181
第4章	時制	181〜183
第5章	助動詞	184〜185
第6章	否定	186〜188
第7章	疑問詞	188〜191
第8章	受動態	191〜192
第9章	比較級と最上級	193〜196
第10章	動名詞	196〜197
第11章	不定詞	197〜199
第12章	分詞	199〜200
第13章	関係代名詞	201〜202
第14章	前置詞	202〜204
第15章	接続詞	204〜206

① 名詞① ― 複数形
⇨問題は 26 ページ

- es をつける名詞 → 名詞の最後が (**s**)、(**sh**)、(**ch**)、(**o**)、(**x**)
- 語尾が「子音＋y」のとき → (**y**) をとって (**ies**)
  例：family → (**families**)
  ※注意　boy → (**boys**)　「母音＋y」だから boies ではない
- 名詞の最後が「f」や「fe」のとき → 語尾が (**ves**)
  例：wolf → (**wolves**)
- 名詞の形が変わるもの　例：tooth → (**teeth**)
- 名詞の形が変わらないもの（単複同形）
  例：sheep → (**sheep**)　fish → (**fish**)　※群れをなす動物が多い

② 名詞② ― 不可算名詞と集合名詞
⇨問題は 28 ページ

（１）不可算名詞 → 1個、2個と、(**数える**) ことができない名詞
　例：(**water**) (**music**) (**homework**) (**furniture**) (**baggage**)
　→ 名詞の前に (**a/an**) をつけることはできない。
　→「多くの」、「たくさんの」と言いたいときは (**much**) を使う。
　※可算・不可算両方に使える→ (**a lot of**)

（２）不可算名詞の種類
① Mike / Japan / Monday / Mr. Saito などは
　→ (**固有**) 名詞：(**人名、場所**) を表す
　例：cat → (**普通**) 名詞　　タマ → (**固有**) 名詞
② water / wine / iron / gold / sugar などは → (**物質**) 名詞 (**材質、材料**)
　※I found a lot of beautiful (**stones**).
　　This statue is made of (**stone**). ← (**物質**) 名詞
③ happiness / anger / justice / freedom などは → (**抽象**) 名詞 (**感情、概念**)
　※これらの名詞はすべて (**単数**) 扱い

（３）数えられない名詞を数えるとき
　「入れ物」編：a (**glass**) of wine　a (**cup**) of milk

「かたち」編：a (**piece**) of cake　a (**sheet**) of paper
　　　　　　a (**slice**) of bread
「例外」編　：a (**piece**) of information
※複数のときは？「コップ2杯の水」→ two (**glasses**) of water
※「ごはん1杯」→ a (**bowl**) of rice

（4）集合名詞

例：family / class / team
- My family (**is**) very large. …1つのかたまりとして使うとき
- My family (**are**) all Dragons fans. …そのメンバーのことを言うとき
  ※ Police (**are**) looking for a suspect.　※suspect：容疑者

3 名詞③ ― その他の名詞
⇨問題は30ページ

（1）2つで1つのペアになっているものは常に複数形

メガネ (**glasses**)　　ズボン (**pants**)
靴 (**shoes**)　　　　靴下 (**socks**)
手袋 (**gloves**)　　　ハサミ (**scissors**) など
※「1足の靴」→ a (**pair**) of shoes
　「2足の靴」→ two (**pairs**) of (**shoes**)

（2）慣用的に常に複数形になるもの（この3つだけ覚える！）

- 「～と友だちになる」　　I make (**friends**) with him.
- 「電車を乗り換える」　　He change (**trains**) at Shibuya.
- 「握手する」　　　　　　They shook (**hands**) with each other.
  ※ 注意！「マナー／作法」We need to learn good (**manners**)

（3）教科、学問を表す名詞は複数形でも単数扱い

数学 (**mathematics**)　経済学 (**economics**)
政治学 (**politics**)　言語学 (**linguistics**)
物理学 (**physics**) など
例：Mathematics (**is**) interesting.

4 動詞① ― be 動詞と一般動詞

|チャレンジ|マスター|
|/|/|

⇨ 問題は 34 ページ

動詞……主語の **(動作)**、**(状態)**、**(存在)** を表すもの。

【be 動詞】

- 原形は **(be)**、主語が I → **(am)**、三人称単数 → **(is)**、you の複数 → **(are)** に変化
- 過去形 is / am → **(was)**、are → **(were)**
- 主語の **(状態)** や **(存在)** を表す。
  例：I am hungry.　**(状態)**「おなかがすいている」という状態
  　　He is in his room.　**(存在)**「部屋にいる」→ 存在
- 否定文 → be 動詞の直後に **(not)** を置く。
  例：The store is not open yet.
- 疑問文 → **(主語)** と **(動詞)** をひっくり返す。
  例：Are you hungry?

【一般動詞】

定義：「be 動詞以外の動詞」

- 主語が三人称単数のときの現在形
  → 動詞の後ろに **(s , es)** をつける。
- 過去形（規則変化）
  例：walk → **(walked)**
- 過去形（不規則変化）
  例：speak → **(spoke)**、take → **(took)**、make → **(made)**
- 主語の **(動作)** や **(状態)** を表す。
  例：He runs every day.　**(動作)**
  　　I like American movies.　**(状態)**
- 否定文
  ① 主語が I、you、複数 → 動詞の直前に **(don't)** を置く
  ② 主語が三人称単数 → **(doesn't)** を置く
- 疑問文
  ① 主語が I、you、複数 → 文頭に **(Do)**
  ② 主語が三人称単数 → 文頭に **(Does)**

- 過去形 → 疑問文、否定文ともに、
  主語が単数でも複数でも → **(Did ／ didn't)**
  ※疑問文や否定文では主語が三人称単数でも、doesやdidを用いたら動詞の後ろにsはつけない。
  例：He doesn't like natto. Does she play tennis?

5 動詞② ― 自動詞と他動詞
⇨問題は 38 ページ

チャレンジ ／　　マスター ／

下の2文の動詞をくらべてみよう。意味は「私は彼を見た」で同じだけど……

  I saw   him.
  I looked at him.

① 他動詞…動詞の**（ 直後 ）**に**（ 名詞 ）**を置く必要があるもの。
    これを**（ 目的語 ）**と呼ぶ。「〜を」、「〜に」にあたるもの。
    例：like / love / make / have など　　× I like.

② 自動詞…その必要がない動詞。動詞だけで文を終わることができる。
    例：sleep / walk / speak など　　○ I sleep.
※自動詞の後ろについているものは、目的語ではなく**（ 修飾語 ）**。
ケース1：I go (to school) every day.　動詞の直後に**（ 前置詞 ）**+名詞

ケース2：He speaks fast.　　　　　　動詞の後ろに**（ 副詞 ）**

※ 自動詞と他動詞の両方の意味をもつものも、実は結構たくさんある。
 例：read
He is reading a book.　彼は本を読んでいる。　　→ **（ 他 ）**動詞
I seldom read.　　　　私はめったに読書をしない。 → **（ 自 ）**動詞
※動詞を辞書で調べるときは、必ず自動詞か他動詞かをチェックする！

6 文型① ― 第１文型と第２文型

⇨問題は 42 ページ

■ 第１文型（S V）

例文：He runs **(very fast)**．　彼はとても速く走る。

very fast は runs に「かかる」⇒「どうやって」走るのか
run という動詞にかかっている → **(副)** 詞
前置詞＋名詞 も副詞のはたらきをする
例：I usually sleep **(on the bed)**．／ She is talking **(with me)**．
※（　）内の語句がなくても文は成り立つ。**(副詞 ＝ 修飾語 ＝ 飾り)**

■ 第２文型（S V C）

例文：This camera is expensive．　このカメラは高価だ。
expensive → **(補語) (主語)** ＝ **(補語)** の関係になる。
※ 補語とは？＜まとめ＞

- **(主語)** が何かを説明 **(補う)** もの。
  → This camera is. だけでは文が成り立たない（「このカメラは…です」の「…」がない）。
- 補語は **(名)** 詞か **(形容)** 詞　例：She is a teacher. She is happy.
  ※ be 動詞以外で補語が必要な動詞
- He **(became)** an engineer.　彼は技術者になった。
- You **(look)** happy.　　　　あなたはうれしそうだ。　※ seem も同じ意味
- I **(feel)** sick today.　　　　私はきょうは気分が悪い。

7 文型② ― 第3文型と第4文型
⇨問題は 44 ページ

チャレンジ	マスター
/	/

■ 第3文型（S V O）

たとえば「make」という動詞は、直後に必ず「～を」「～に」にあたる（ **目的語** ）が必要。

I make. という文は成立しない。

例：I make <u>songs</u>.
　　　　　　↑目的語。必ず（ **名** ）詞

※目的語が必要な動詞 → （ **他** ）動詞（「他のものが必要な」動詞）

■ 第4文型（S V O O）

例：I gave him a book.

give という動詞は、後ろに「（ **だれに** ）」と「（ **何を** ）」の
2つの名詞（目的語）が必要。

　　I　　gave　　him　　　　a book.　　　「何を」……（ **直接** ）目的語
　　S　　V　　　O（ **だれに** ）　O（ **何を** ）　「だれに」……（ **間接** ）目的語

【第4文型になる動詞】

> give / bring / lend / pay / sell / send / show
> teach / tell / pass / buy / make / find / cook

※すべて、「～に…する、してあげる」という意味の動詞

■ 第4文型は、第3文型に書き換えられる

　　I　　gave　　him　　　a book.
　　S　　V　　　間接O　　直接O

→　I　　gave　（ **a book** ）（ **to him** ）.
　　S　　V　　　直接O　　前置詞＋間接O

※「give 型」と「buy 型」の使い分け

- I gave a book （ **to** ）him.　　……行為の相手が必要
- I bought a book （ **for** ）him.　　……行為の相手が不要

8 文型③ — 第5文型（1）
⇨問題は 48 ページ

チャレンジ	マスター
/	/

■ **第5文型（S V O C）**

例1：We call him Jack. 　私たちは彼をジャックと呼びます。

We　call　him　Jack.
 S 　 V 　 O 　 **(C)**　　　「O = **(C)**」の関係
　　　　　「〜を」「〜と」

① OをCのままにする

　He always **(keeps)** the door **(open)**. 　※leave も同じ意味
　彼はいつもドアを開けたままにする。

② OをCにする

　That news **(made)** us **(happy)**.
　その知らせは私たちを喜ばせた。（私たちを幸せな状態にした）

③ OがCだと思う、わかる

　I **(found)** the question **(easy)**.
　私はその質問が簡単だとわかった。

9 文型④ — 第5文型（2）
⇨問題は 50 ページ

チャレンジ	マスター
/	/

● 知覚動詞 「知覚」……見る、聞く、触る

　「視覚」：see, **(watch)**, **(look at)** など
　I saw him **(get in)** a car. 　私は彼が車に乗るのを見た。
　※ I saw him getting in a car. との違いは？ → 〜 ing 「〜しているのを」
　「聴覚」：hear, **(listen to)**
　I heard him **(sing)** a song. 　彼が歌を歌うのを聴いた。
　「触覚」：**(feel)**
　I felt the air **(cold)**. 　空気を冷たく感じた。

● 使役動詞「Oに〜させる」

　My mother **(made)** me clean the bathroom.
　母は私にトイレの掃除をさせた。
　※受動態 → 「be動詞＋過去分詞＋ **(to)** ＋動詞の原形」

例１：私はトイレの掃除をさせられた。
→ I (**was**) (**made**) (**to**) clean the bathroom.
例２：私はマンガを読んでいるところを見られた。
→ I (**was**) (**seen**) (**to**) be reading a comic.

10 時制① ─ 現在形と現在進行形

⇨問題は 54 ページ

チャレンジ	マスター
/	/

「現在形」……日常的に、(**習慣**) として、(**反復**) して行うこと
「現在進行形」……いまこの瞬間に、(**一時的**) に行っていること

　例：I live in Nagoya.
　　　私は名古屋に (**住んでいます**)。=(**住所**)
　　　I am living in Nagoya.
　　　私は名古屋に (**住んでいます**)。=(**一時的**) な住居
　　　He is playing the piano.　彼はピアノを (**弾いています**)。
　　　He plays the piano.　彼はピアノを (**ふだん弾きます**)。

※進行形にできない動詞……「**状態**動詞」
① (**感情**) …like / love / hate / want
② (**知覚**) …see / hear / smell / taste / feel
③その他の状態…have / know / exist / belong / resemble

※進行形・注意する例
　　The bus is stopping.　バスは停止 (**しようとしている**)。
　　She was dying in his arms.
　　彼女は彼の腕の中で (**息を引き取ろうとしていた**)。

11 時制② — 過去形と過去進行形
⇨問題は 56 ページ

過去形……過去に（**習慣**）的に（**反復**）して行ったこと。
過去進行形……過去のある（**瞬間**）に、（**一時的**）に行っていたこと。

　　例１：私はふだん、バスで学校に行っていた。
　　　　　I usually (**went**) to school by bus.
　　　　　通学 → 毎日くり返した行動。

　　例２：電話が鳴ったとき、私は本を読んでいた。
　　　　　I (**was reading**) a book when the phone rang.
　　　　　電話が鳴った瞬間に → 読んでいた。

12 時制③ — 未来形
⇨問題は 58 ページ

I will be twenty next year.　→（**単純**）未来
I will call you tonight.　　 →（**意思**）未来（**いま**）決めたこと
I am going to visit Kyoto tomorrow.
　　　→ 未来の（**計画**）、前から（**予定**）
It's getting dark outside. I think it is going to rain in the afternoon.
　　　→ いまの状況から（**推測**）して、「雨が降りそうだ」と（**判断**）
　　　している。

※未来進行形……未来の一時点で進行中の行為
　　例：I will (**be**) (**teaching**) English in Japan at this time next year.
　　訳：来年の今頃は日本で英語を教えているでしょう。

13 時制④ — 現在完了形

⇨問題は 60 ページ

チャレンジ	マスター
/	/

- 現在完了形の形
  … (**have** / **has**) ＋動詞の (**過去分詞**) 形
- 完了形が表す意味 → 4つだけ覚える！

  ① I <u>have seen</u> that movie before.「〜したことがある」
  …【 **経験** 】
  ※否定文：「いちども〜したことがない」
  → I have (**never**) seen that movie.

  ② I <u>have lived</u> in Hokkaido for 20 years.「ずっと〜している」
  …【 **継続** 】
  ※「いまも〜し続けている」という意味を強調する場合
  → 現在完了進行形 (**have** / **has**) ＋ (**been**) ＋動詞の (**現在分詞**)
  例：私は20年間柔道をやっている。<u>（いまもけいこをしている）</u>
  I (**have**) (**been**) (**practicing**) judo for twenty years.

  ③ He (**has**) finally (**become**) the president of that country.
  「結果的に〜になった／〜した」
  …【 **結果** 】

  ④ She has (**already**) finished her homework.
  「すでに〜し終えた」…【 **完了** 】
  ※否定文：「まだ〜し終えていない」
  → She (**hasn't**) finished her homework (**yet**).
  ※完了形は過去の時間を表す表現と一緒に使えない
  　（yesterday / last week など）
  × I have seen that movie last week.
  ○ I saw that movie last week.

14 助動詞① — will / can / may

【will】
- I will give you a ride.　　　　　　　　（**意志**）未来「〜するつもり」
- She will be 20 years old next month.　（**単純**）未来「〜する／なる」

【can / be able to】
- She can play the violin.　　　　　　　（**能力**）「〜できる」
- I will be able to attend the meeting.　（**可能**）「〜できる」
- It can / can't be true.　　　　　　　　（**可能性**）「〜であり得る／あり得ない」

　He could swim, so he was able to help his son.
　　↑能力　　　　　　↑可能（かつ実際にやったこと）

　I was able to buy a ticket.（可能）かつ、実際にやったこと
　I could buy a ticket.（可能）実際にやったかどうかはわからない

- You can't ride a bicycle here.　　　　（**禁止**）「〜してはいけない」
- Can I use your pen?　　　　　　　　　（**許可**）「〜してもいい」
- Can you help me?　　　　　　　　　　（**依頼**）「〜して頂けますか」

【may】
- May I use your PC?　　　　　　　　　（**許可**）「〜してもいい」
　You may not use my PC.　　　　　否定：（**禁止**）「〜してはいけない」
- I may [might] go to the movie.　　　　（**可能性**）「〜かもしれない」

15 助動詞② — must / have to

【must】
- You must be quiet here.　　　　　　（**義務**）「〜しなければならない」
- You must not enter the room.　　否定：（**禁止**）「〜してはならない」

　　　　　　　　　　　　　　　　※ can not も同じ意味がある

【have to】
- I had to go by taxi.（must の過去形はない）
- I will have to bring an umbrella tomorrow.（will must とはいえない）
- You don't have to answer the question.　　否定：「〜しなくてもよい」

16 助動詞③ — should / would

⇨問題は 72 ページ

チャレンジ	マスター
/ /	/ /

【should】
- You should study harder.
  (**義務**)「〜すべき」← (**ought to**)

【would】
- It would be fine tomorrow.
  (**推測、控えめ**)「たぶん〜だろう」
- I would like to talk with him. 「〜したいです」
- My father would take me to the zoo.
  (**過去の習慣**)「よく〜したものだ」※ used to も同じ意味
- My dog wouldn't go out of the house.
  (**拒絶**)「どうしても〜しようとしなかった」

column

模擬試験ってなんのために受けるの？

　模擬試験は「できる限り」受けてください。模試受験の目的は次の4つです。

❶ 本番と近い環境での**練習**　　❷ 時間がない中で、修羅場をくぐる**訓練**
❸ どういう問題が出てくるのかの**確認**　❹ 解けなかったことを解けるようにする**訓練**

　決して、「合格判定」や「力試し」が目的ではありません。模擬試験の結果なんて本番の結果には関係ありません。**模擬試験はいわば練習試合**。スポーツなどでも、練習試合の自分のビデオを見て、練習どおりできたかを確認し、できなかったところを改善します。それと同じです。そして、ハプニングがあったら喜びましょう。なぜなら本番なんて、頭が真っ白になるとか、隣の人が異常に臭いとかそういうことの連続です。そういう**ハプニングも「練習」**なのです。本番で受けるのと同じ緊張感で、「これ、ダメだったら落ちる」ぐらいのつもりで模擬試験を受けて、慣れておきましょう。

17 否定① — not を使う否定

チャレンジ	マスター
/	/

⇨ 問題は 78 ページ

- be 動詞の否定文 → **(be動詞の直後)** に not を入れる。
  I am **(not)** studying now.
  He is **(not)** able to come today.
- 一般動詞の否定文 → **(動詞の直前)** に don't か doesn't を入れる。
  I / You / They **(don't)** like winter.
  He / She / Mary **(doesn't)** speak French.
- 一般動詞の過去形を否定文にするときは、
  主語が単数でも複数でも **(didn't)**。
- 助動詞の否定文　I　will
  　　　　　　　　　can
  　　　　　　　　　should　**(not)** go with you.
  　　　　　　　　　may
- 現在完了形の否定文
  【経験】I have seen that movie.
  　→ have のあとに **(never)** をつけて、
  　　「一度も〜したことがない」という意味になる。
  【完了】I have already finished my homework.
  　→ already のかわりに最後に「まだ」という意味の **(yet)** を置くことが多い。

18 否定② — not 以外の否定

チャレンジ	マスター
/	/

⇨ 問題は 80 ページ

- never ＞ not
  I don't listen to Enka.　　私は **(ふだん)** 演歌を聴きません。
  I never listen to Enka.　　私は演歌なんて **(一切聴きません)**。
- hardly / scarcely：I can hardly / scarcely hear you.
  　　　　　　　　　あなたの声が **(ほとんど)** 聞こえません。
  　　　　　　　　　※ **(程度)** が低い
- rarely / seldom：He rarely / seldom plays golf.
  　　　　　　　　彼は **(めったに)** ゴルフをしません。

※（**頻度**）が低い

- nothing / no one / nobody
  Nothing (**is**) perfect. 　完璧なものは何もない。
  Nobody (**came**) to the party last night.
  昨夜のパーティにだれも来なかった。
- not ＋ any：He didn't say anything.
  彼は（**何も**）言わなかった。

19 否定③ ― 全否定と部分否定
⇨問題は 82 ページ

〈部分否定〉

- 「not ＋ all / always / every」
  I did<u>n't</u> read <u>all</u> the books.
  私は全部の本を読んだ（**わけではない**）。→ 少しは読んだ
  He is<u>n't</u> <u>always</u> right.
  彼はいつも正しい（**わけではない**）。→ 正しくないときもある
  Not everybody liked that story.
  全員がその話を好きだった（**わけではない**）。→ 嫌いだった人もいる
- 「not ＋ very much」
  He does<u>n't</u> like sweets <u>very much</u>.
  彼は（**あまり**）スイーツが好きではない。
  → これを「全然好きではない」の意味にするには
  He doesn't like sweets (**at**) (**all**).

〈全否定〉

- 「no ＋ 名詞」
  I have no money.
  お金が（**まったく**）ない。
  No student liked that book.
  生徒の（**だれも**）その本が好きではなかった。
- 「not ＋ any」
  I didn't eat anything this morning.
  私はけさ、（**何も**）食べなかった。

20 否定④ ― その他の否定
⇨問題は 86 ページ

I have (**a few**) friends in Japan.　　私は日本に友だちが少しいる。
I have (**few**) friends in Japan.　　私は日本に友だちがほとんどいない。
He has (**a little**) money.　　彼はお金を少しもっている。
He has (**little**) money.　　彼はお金をほとんどもっていない。
(**Quite**) a few friends visited her house.
たくさんの友だちが彼女の家を訪れた。

> "a few / a little" → 「少しある」
> few / little → 「ほとんどない」（否定の意味）
> few → (**可算**) 名詞
> little → (**不可算**) 名詞
> quite a few / guite a little → (**たくさん**)

21 疑問詞① ― 疑問代名詞
⇨問題は 92 ページ

① たずねたいものが、補語や主語のとき
　例：She is my sister. → Who (**is she**)?
　　　He helped me. → Who (**helped you**)?
　→ 疑問詞の直後に (**動詞**) がくる。

② たずねたいものが、目的語のとき
　例：I want to eat sushi. → What (**do you want to eat**)?
　　　I saw Takeshi at the station. → (**Who (m)**) did you see at the station?
　→ 疑問詞のあとに、(**目的語**) を除いた Yes / No で答える形式の疑問文が続く。

22 疑問詞② ― 疑問形容詞

What sport do you like?「どんな　スポーツが好きですか？」

形容詞…（ **名詞** ）を修飾するもの

- どんな～？　　　（ **What** ）animal do you like?
  あなたはどんな動物が好きですか？
- どちらの～？　　（ **Which** ）bicycle is yours?
  どちらの自転車があなたのものですか？
- だれの～？　　　（ **Whose** ）shoes are these?
  これらはだれのくつですか？
- どんな種類の～？（ **What kind of** ）music do you like?
  どんな種類の音楽が好きですか？

23 疑問詞③ ― 疑問副詞

副詞…（ **名詞以外** ）を修飾するもの

疑問副詞…①（ **時** ）、②（ **場所** ）、③（ **理由** ）、④（ **方法** ）、⑤（ **程度** ）
をたずねるとき。

① （ **When** ）　「いつ」
② （ **Where** ）　「どこで」
③ （ **Why** ）　　「なぜ」　　　＋ did you study English?
④ （ **How** ）　　「どのように」　　「英語を勉強しましたか」
⑤ （ **How** ）＋ 形容詞 or 副詞「どのくらいの頻度・程度」

How（ **often** ）do you study English?
どのくらいの頻度で英語を勉強しますか？

I study English once a week.
私は週に1回英語を勉強します。

24 疑問詞④ — 間接疑問文

⇨問題は 98 ページ

チャレンジ	マスター
/	/

普通の疑問文　　What is this?　Where does he live?
間接疑問文　　Do you know (**what**) (**this**) (**is**) ?
　　　　　　　　これが何か知っていますか？
　　　　　　　　I know (**where**) (**he**) (**lives**) .
　　　　　　　　私は彼がどこに住んでいるか知っています。

間接疑問文の作り方
● 「疑問詞 ＋ (**主語**) ＋ (**動詞**)」
　例1　Do you know (**who**) (**he**) (**is**) ?
　例2　I don't know (**when**) (**you**) (**came**) here.

25 疑問詞⑤ — その他の疑問文

⇨問題は 100 ページ

チャレンジ	マスター
/	/

①＜否定の疑問文＞

　(**Don't**) you like spaghetti?　スパゲティは好きじゃないですか？
　→ 「好きです」と答えたい。
　日本語：「(**いいえ**)、好きです。」
　英　語：" (**Yes, I do.**) "
　→ 答えが「好きじゃない」のときは？ → (**No, I don't.**)

②＜付加疑問文＞

　You like spicy food, (**don't you**) ?
　　　辛い食べ物が好きですよね？
　He wasn't hungry, (**was he**) ?
　　　彼はお腹が空いていませんでしたよね？
　※ 本文が肯定文 → 付加疑問文は （ **否定形** ）。
　※ 本文が否定文 → 付加疑問文は （ **肯定形** ）。
　※ 答え方
　　You don't like spicy food, do you?
　　　辛い食べものは好きではないですよね？
　　いいえ、好きです。→ (**Yes**), I do.

※英語と日本語では答え方が逆になる

はい、嫌いです。→ (**No**), I don't.

③ Do you mind ～?の文

Do you (**mind**) { if I turn on the light? / turning on the light?

意味：私が電気をつけることを気にしますか？ ← 直訳

電気を (**つけてもいいですか**) ？ ← 自然な訳

答え方：
- 「いいですよ」のとき → (**Not at all.**) / (**Of course not.**)
- 「ダメです」のとき → (**Yes, I do.**)

26 受動態① ― 能動態と受動態、否定文
⇨ 問題は 106 ページ

- 能動態……動作を「する」側が主語になる

    例：He wrote this book.　彼はこの本を書いた。
- 受動態……動作を「される」側が主語になる

    例：This book (**was**) (**written**) (**by**) him.

    この本は彼によって書かれた。

※受動態の作り方：【主語 + (**be動詞**) + (**過去分詞**) + (**by**)】

※否定文の作り方：

This picture was taken by him.

→ This picture was (**not**) taken by him.

※動詞の後ろに前置詞が付いているときや熟語のときの注意：

He spoke to me.　→ I (**was**) (**spoken**) (**to**) by him.

　　　　　　　　　　　　　　　↑ これを忘れない！

※動作主が (**一般の人びと**) や不特定の場合、受動態では "by ～" を省略する。

French is spoken in this country （by them）← 省略.

能動態：(**They**) speak French in this country.

（主語は "they" や "we" にする）

この国ではフランス語を話す。

27 受動態② ― 進行形、完了形、助動詞の受動態
⇨問題は 108 ページ

■ **進行形**：「be動詞 ＋ (**being**) ＋ 過去分詞」
例：その物語はいま、彼によって書かれているところです。
That story (**is**) (**being**) (**written**) by him now.

■ **完了形**：「have / has ＋ (**been**) ＋ 過去分詞」
例：その本はすでに大勢の人に読まれました。
That book (**has**) already (**been**) (**read**) by many people.
※否定文 → (**hasn't**)　　完了の意味のとき → 文末に (**yet**)

■ **助動詞**：「助動詞 ＋ (**be**) ＋ 過去分詞」
例：そのサービスは無料で使われるべきだ。
That service (**should**) (**be**) (**used**) for free.
※否定文 → (**shouldn't**)

28 受動態③ ― by を用いない受動態
⇨問題は 110 ページ

A lot of people were killed (**by**) an enemy.　　an enemy → (**動作主**)
A lot of people were killed (**in**) an accident.　an accident → (**原因**)

by 以外を使う主な動詞

- I am <u>interested</u> (**in**) history.　※interest：(**～に興味をもたせる**)
- My cat was <u>surprised</u> (**at**) the sound.　※surprise：(**～を驚かせる**)
- His car is covered (**with**) dust.
- This table is made (**of**) wood.
  ※ 何でできているかが見てわかる → (**材料**)
- Miso is made (**from**) soy beans.
  ※ 何でできているかが見てわからない → (**原料**)

※注意：I am interested in soccer.
　× 私はサッカーに興味をもたされている。
　○ 私はサッカーに (**興味がある**)。→ 日本語では (**能動態**) で表す。

29 比較級と最上級① ― -er と more

⇨問題は 114 ページ

チャレンジ / マスター /

■比較級／最上級になる品詞

(1) This building is taller than that one.

　（ **形容** ）詞：（ **名詞** ）を修飾

　This building is the tallest in Japan.

　※最上級の形容詞の前には（ **the** ）が必要

(2) He can swim faster than I do.

　（ **副** ）詞：（ **名詞以外** ）主に（ **動詞** ）を修飾

　He can swim fastest（ **of** ）the three ／（ **in** ）the class.

■比較級／最上級の作り方

(1) 語尾が子音＋y → y を取って（ **ier** ／ **iest** ）

　例：easy →（ **easier** ／ **easiest** ），

(2) 語尾が短母音＋子音 → 子音を重ねる

　例：big →（ **bigger** ／ **biggest** ）　hot →（ **hotter** ／ **hottest** ）

(3) more ／ most 型……3 音節以上の語　例：ex-pen-sive　im-por-tant

　※例外①：This movie is（ **fun** ）than that one.

　→ 比較級（ **more fun** ）

(4) 不規則変化

原級	比較級	最上級
good	（ **better** ）	（ **best** ）
well		
bad	（ **worse** ）	（ **worst** ）
badly		
many	（ **more** ）	（ **most** ）
much		
little ／ few	（ **less** ）	（ **least** ）

30 比較級と最上級② ― as を使った文

① 「as ～ as...」
　　形容詞を比較：You are as (**old**) as I.
　　　　　　　　　あなたは私と同じくらい<u>年をとっている</u>。
　　　　　　　　　→ 同い年くらいだ。
　　副詞を比較：I can play the guitar as (**well**) as you do.
　　　　　　　　私は君と同じくらい<u>上手に</u>ギターが弾ける。

② 「not as ～ as...」
　　例：He is not as tall as you.
　　　　× 彼はあなたと同じくらい背が高くない。
　　　　○ 彼は (**あなたほど背が高くない**)。
　　※「less ～ than...」も同じ意味 → He is (**less**) (**tall**) than you.

③ 「as ～ as possible / *one* can」
　　例：Can you speak as (**slowly**) as (**possible**)?
　　　　Can you speak as slowly as (**you can**)?
　　　　できるだけゆっくり話してもらえますか？

31 比較級と最上級③ ― 原級の文

- 倍数の表現
  「数字＋times」 ※「2倍」は (**twice**) とも表す
- 分数の表現「分子の数字 → 分母の (**序数**)」の順で表す
  「序数」とは？ → first / second / third / fourth / fifth, ...
  例：1/3 → (**one-third**)　　もしくは a third
  　　2/5 → (**two-fifths**)　　分子が複数のとき、(**分母**) が複数形
  　　1/2 → (**half**)　　　　　1/4 → (**quarter**)

I. 「倍数＋as 〜 as...」と「倍数＋比較級＋than...」

① 形容詞を比較：His car is (**twice**) as (**expensive**) as mine.
　　　　　　　　彼の車は私の車の倍の値段だ。

② 副詞を比較：This plane can fly (**three times**) as (**fast**) as the others.
　　　　　　　この飛行機は他の飛行機の3倍のスピードで飛ぶことができる。

③ 数・量を比較：He paid (**five times**) as (**much**) (**money**) as I did.
　　　　　　　　彼は私の5倍のお金を払った。

※「〜の○分の○」と言いたいとき

This tunnel is about (**one-third**) as (**long**) as that one.
このトンネルは、あのトンネルの約3分の1の長さです。

※「倍数＋比較級」も可

This tunnel is three times (**longer**) (**than**) that one.
このトンネルは、あのトンネルの3倍の長さがある。

＜単位を表す名詞＞

II. 「倍数＋the (**単位を表す名詞**) of 〜」

大きさ (**size**)、長さ (**length**)、高さ (**height**)、
深さ (**depth**)、重さ (**weight**)
例：アメリカは日本の約25倍の大きさです。
America is about twenty-five times (**the size**) of Japan.

32 比較級と最上級④ ― 比較級、原級で最上級を表す
⇨ 問題は 124 ページ

① 「no (**other**) ＋名詞(単数)＋比較級／ as 原級 as」

(**No**) (**other**) mountain in Japan is (**higher**) (**than**) Mt. Fuji.
　　　　　　　　　↑単数！　　　　　　　is (**as**) high (**as**) Mt. Fuji.

> 【比】富士山より高い山は日本にはない。
> 【原】富士山と同じくらい高い山は日本にはない。
> ⇒【最】富士山が日本で一番高い。

② 「nothing [no one] ＋比較級／ as 原級 as」

(**Nothing**) is (**better**) (**than**) home.
　　　　　is (**as**) good (**as**) home.

> 【比】わが家よりいいものはない。
> 【原】わが家と同じくらいいいものはない。
> ⇒【最】わが家が一番いい。

③ 「比較級＋ any other ～」

Mt. Everest is higher than (**any**) (**other**) (**mountain**) in the world.
　　　　　　　　　　　　　　　　　　　　　　　　　　　↑単数！

> 【比】エベレストは世界のほかのどの山より高い。
> ⇒【最】エベレストが世界で一番高い。

33 動名詞 ― 役割と訳し方
⇨ 問題は 128 ページ

動名詞の定義……「動詞の後ろに ing をつけて（名詞）のはたらきをするもの」
訳し方……「(**～すること**)」

　　例１：read「読む」→ reading「(**読むこと**)」
　　例２：read a book「本を読む」→ reading a book 「(**本を読むこと**)」
　　　　　　　↑目的語　　　　　　　　↑目的語も含めて名詞のかたまりにする

動名詞の位置
(1) 文の (**主語**)　　　例：Reading a comic is fun.
(2) 文の (**補語**)　　　例：His dream is becoming a pilot.
(3) 文の (**目的語**)　　例：My cat likes sleeping.

(4) 前置詞の **(目的語)**　　例：He went out without saying good bye．
　　　　　　　　　　　　　　　　　　　　↑前置詞「～なしで」

※「～が…すること」のかたち
　母は私がTVゲームをすることを嫌う。
　My mother doesn't like **(my)** playing a video game.
　　　　　　　　　　　　↑**(所有格)** ←意味上の主語

34 不定詞① ― 名詞・形容詞的用法
⇨問題は 132 ページ

チャレンジ　／　　マスター　／

不定詞の役割
① To play tennis is fun.　　　　　「～すること」
② I want something to drink．　　「～するための」
③ He is saving money to buy a car.　「～するために」
　　①**(名詞)** 的用法　②**(形容詞)** 的用法　③**(副詞)** 的用法
※「～的用法」＝「～として使う」
① 名詞的用法
(主　語)　　　To become a lawyer is not easy.
(補　語)　　　My dream is to become a lawyer.
(目的語)　　 I want to become a lawyer.
※弁護士になることがほしい。 → 弁護士になりたい。
② 形容詞的用法　※形容詞…**(名詞)** を修飾する
　　一般的な形容詞…名詞を **(前)** から修飾する
　　　例：an **(interesting)** book　「おもしろい本」
　　不定詞の形容詞的用法…名詞を **(後ろ)** から修飾する
　　　例： a book **(to read)**　　「読むための本」

35 不定詞② ― 副詞的用法
⇨ 問題は 134 ページ

③ 副詞的用法　※副詞…（ **名詞以外** ）を修飾する。特に（ **動詞** ）

- （ **目的** ）：He is saving money to buy a new smartphone.

  彼は新しいスマートフォンを（ **買うために** ）お金をためている。

- （ **感情** ）の原因：I am so glad to see you.

  あなたに（ **お会いできて** ）うれしいです。

36 不定詞③ ― 動詞＋目的語＋ to 不定詞、不定詞の否定
⇨ 問題は 136 ページ

He (**told**) me (**to**) read this book.
彼は私に、この本を読むようにと言った。

動詞＋人＋to不定詞　…tell / ask / advise / order / want

例1：She (**asked**) him (**to**) (**help**) her.
　　　彼女は彼に手伝ってほしいと頼んだ。
例2：He (**ordered**) me (**not**) (**to**) (**enter**) the room.
　　　彼は私に、部屋に入るなと命令した。

※ 受け身の場合：　be動詞＋過去分詞＋to不定詞

例：I (**was**) (**asked**) (**to**) help her.
　　私は彼女を手伝うように頼まれた。

37 不定詞④ ― it 〜 for to … 構文など
⇨ 問題は 138 ページ

■ it for to 構文

友人たちと一緒にギターを弾くことは、私にとってとても楽しい。

(**To play the guitar with my friends**) is a lot of fun for me.

(**It**) is a lot of fun (**for me**) (**to play the guitar with my friends**).
　↑仮主語　　　　　　　↑省略されることが多い

※ It is ～で始まる文：「itを見たらtoを探す」（toの後ろが真主語）

■ 不定詞の名詞的用法と動名詞（両方とも「～すること」と訳す）
　We enjoyed to dance last night. … (　×　)
　We enjoyed dancing last night. … (　○　)

● 動名詞のみを目的語にとる動詞 → (**現在** ／ **過去**) 志向
　finish / give up / avoid / mind / cannot help など
　例：I finished eating. ／ He couldn't help laughing.

● 不定詞のみを目的語にとる動詞 → (**未来**) 志向
　want / hope / wish / hope / agree など
　例：I want to play golf this weekend. ／ I agree to go with you.

● 目的語が不定詞と動名詞で意味がかわる動詞
　remember / forget / like など
　例：I remember seeing him.　私は彼に (**会ったこと**) を覚えている。
　　　I remember to see him.　私は彼に (**会うこと**) を覚えている。
　　　　　　　　　　　　　　　＝「忘れずに彼に会う」

38 分詞① ― 現在分詞、過去分詞

訳してみよう
例1：a singing girl
　→訳：(**歌っている**) 女の子
例2：a broken glass
　→訳：(**割れた**) グラス

両方とも名詞を修飾している。
つまり (**形容**) 詞のはたらきをする。

■ 分詞の使い方
① 分詞1語のみで修飾するときは (**前**) から名詞を修飾する。
② 2語以上で修飾するときは (**後ろ**) から名詞を修飾する。
例3：a girl (**singing over there**) 向こうで歌っている女の子
例4：a glass (**broken by him**) 彼が割ったグラス

39 分詞② ― 文と文をつなぐ
⇨問題は 144 ページ

例： ①She wears a coat. 　彼女はコートを着ている。
　　 ②It is made of wool. 　それは羊毛でできている。

1つの文にする方法：
(1) 2つの文で共通する名詞を見つける
　　→①の名詞（ **coat** ）と②の代名詞（ **It** ）が共通している。
(2) ②の代名詞（ **It** ）の後ろの（ **be動詞** ）を削除する。
(3) ①の名詞（ **coat** ）の後ろにつなげて1文にする。
完成→She wears a coat (**made**) of wool.
　　　彼女は羊毛でできたコートを着ている。

Column
超オススメの録音暗記法！

　効率のよい暗記法について。まず、授業中には**コーネル式ノートで記録**します（これは坪田塾の動画のページで確認してください）。

　授業が終わったら、休み時間などにその日に習った内容のエッセンスや、自分なりに作った問題を**ICレコーダーに録音**します（最近はスマホがあるのでボイスレコーダーの機能を使って簡単にできますよね）。好きな音楽のメロディーにのせながら、異常にテンションが高い自分の声を録音します（休み時間に録音するのが難しいなら、家に帰ってからでもOK！）。これは**自分なりにまとめてインプットした知識をアウトプットしている**ことになります。

　そして帰りに**録音した自分の声を聞き、さらにインプットしなおす**（そのときに、自分の録音した声を聞いて、内容を思い出しながらその場でもう一度つぶやいて確認すると、アウトプットしていることにもなる）。

　これだけで、テストなんて余裕です。家で問題集を解いたり、覚えたりしないといけないことなんかも同じ方法でやる。これ、めちゃくちゃオススメの暗記法です。

40 関係代名詞① ― 主格、目的格

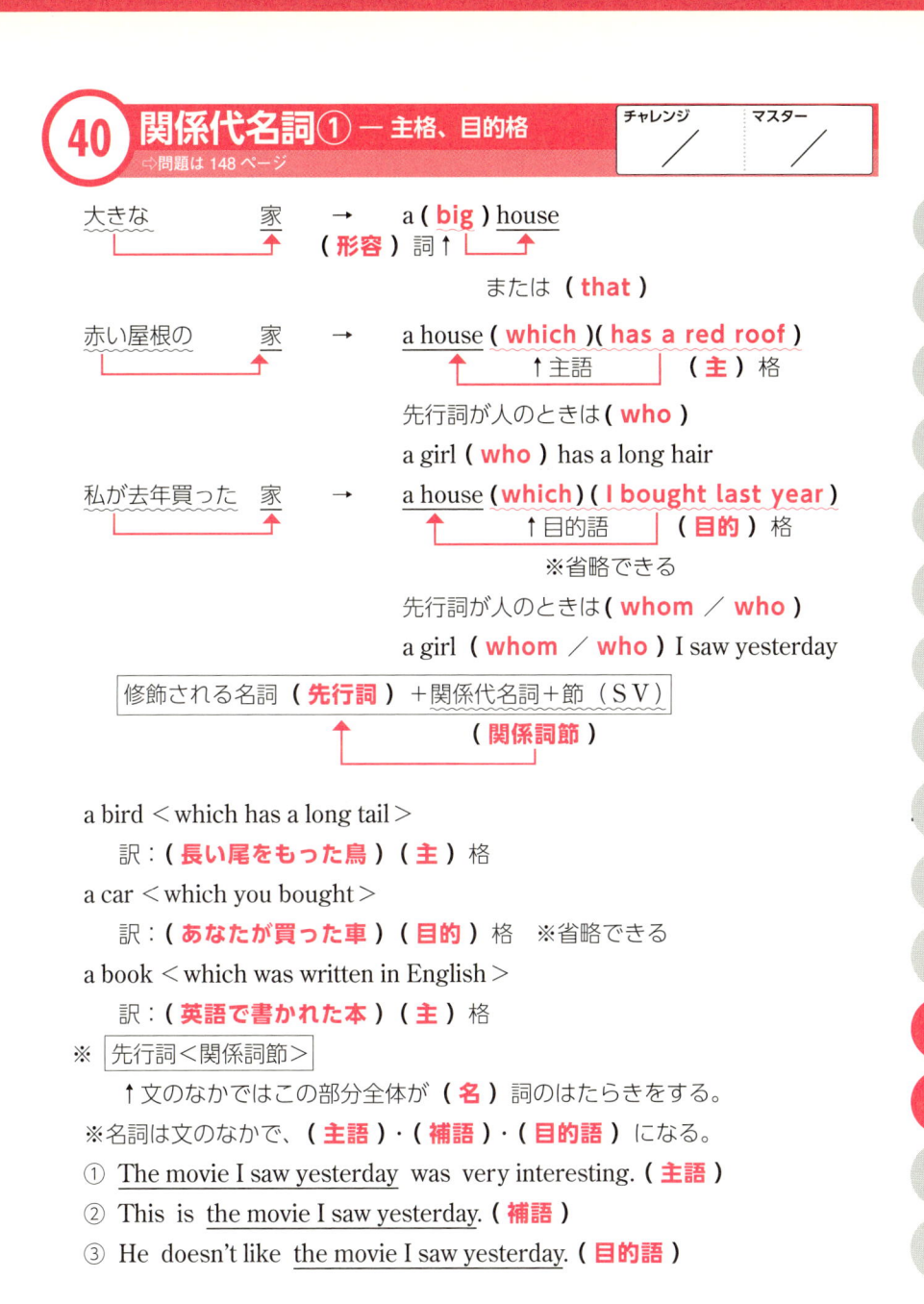

大きな　家　→　a **(big)** house
　　　　　　　(形容) 詞

　　　　　　　または **(that)**

赤い屋根の　家　→　a house **(which)**(**has a red roof**)
　　　　　　　　　　　　↑主語　　　**(主)** 格

先行詞が人のときは**(who)**

a girl **(who)** has a long hair

私が去年買った　家　→　a house **(which)**(**I bought last year**)
　　　　　　　　　　　　　↑目的語　　**(目的)** 格
　　　　　　　　　　※省略できる

先行詞が人のときは**(whom ／ who)**

a girl **(whom ／ who)** I saw yesterday

修飾される名詞**(先行詞)**＋関係代名詞＋節（ＳＶ）
　　　　　　　　(関係詞節)

a bird ＜which has a long tail＞
　訳：**(長い尾をもった鳥)(主)** 格
a car ＜which you bought＞
　訳：**(あなたが買った車)(目的)** 格　※省略できる
a book ＜which was written in English＞
　訳：**(英語で書かれた本)(主)** 格

※ 先行詞＜関係詞節＞
　↑文のなかではこの部分全体が **(名)** 詞のはたらきをする。
※名詞は文のなかで、**(主語)**・**(補語)**・**(目的語)** になる。

① The movie I saw yesterday was very interesting. **(主語)**
② This is the movie I saw yesterday. **(補語)**
③ He doesn't like the movie I saw yesterday. **(目的語)**

41 関係代名詞② ― 所有格
⇨問題は 150 ページ

チャレンジ ／　マスター ／

- 「お母さんが女優の友だち」
  → a friend < (**whose**) (**mother**) is an actress >
  先行詞 「友だちの〜」
  ↑ (**所有**) 格
- お兄さんが野球選手の友だち
  → a friend (**whose brother**) is a baseball player
- 窓がとても大きな家
  → a house (**whose windows**) are very big
  　　　　　　↑この全体が (**名詞節**)

| The house whose windows are very big | is mine.　　　　(**主語**)
He bought | a house whose windows are very big |.　　　　(**目的語**)
He lives in | a house whose windows are very big |. 前置詞の(**目的語**)

42 前置詞① ― 前置詞の意味
⇨問題は 154 ページ

チャレンジ ／　マスター ／

【時間】
- 時間の一点：I woke up (**at**) five o'clock.
- 日にち／曜日：He was born (**on**) November 24.
- 一定期間内（週／月／年）：
    We have a school festival (**in**) September.
    　　　　　　　　　　　(**in**) 2015.
    　　　　　　　　　　　(**in**) five days.
- 一定の期間：I'll stay here (**for**) five days.
- 〜のあいだ：I traveled around Europe (**during**) the summer vacation.
- 期限：You need to finish your report (**by**) tomorrow.
- 継続：You can stay here (**until**) this weekend.

【場所/位置】

- 場所の一点： We took a train **(at)** Shibuya. / Look **(at)** him.
- 内側／内部： I live **(in)** Shizuoka./He stayed **(in)** the house all day.
- 接触／関連： There is a clock **(on)** the wall.
  My house is **(on)** the street.
  He wrote a book **(on)** ancient China.
- 複数/2者のあいだ： He is very popular **(among)** his classmates.
  The office is **(between)** a convenience store and a bakery.
- 真上／真下： The plane flew **(over)** that mountain.
  I put a lot of books **(under)** the bed.
- 〜より上／下： His room is **(above)** a restaurant.
  A restaurant is **(below)** his room.

【方向】

到達点／目的地：She went **(to)** school. / I talked **(to)** her.

方向：I left Osaka **(for)** Tokyo. / This bus is **(for)** Shibuya.

出発点／起源： My teacher is **(from)** Canada.
Cheese is made **(from)** milk.

43 前置詞② — 前置詞句

⇨問題は 158 ページ

|前置詞＋（名詞 or 動名詞）| ＝ **（ 前置詞句 ）** と呼ぶ

※「句」…「**（ 単語 ）** の集まりで **（ 主語と動詞 ）** がないもの」

前置詞句の3つのはたらき

① Look at the house **(on the hill)**.
　　前置詞句が **（ 形容 ）** 詞の役割をはたしている。
　訳：**（ 丘の上の ）** 家を見てください。

② They are talking **(in the living room)**.
　　前置詞句が **（ 副 ）** 詞の役割をはたしている。
　訳：彼らは **（ 居間で ）** 話している。

③ He is **(in the bedroom)**.　訳：彼は **（ 寝室に ）** います。
　　前置詞句がbe動詞を修飾している。

44 接続詞① — 等位接続詞と従属接続詞

⇨問題は 162 ページ

|等位接続詞|……2つの節が **（ 対等 ）** な関係

　例：|I like cats|　**(but)**　|she likes dogs|.
　　　　私は猫が好き　　でも　　彼女は犬が好き

|従属接続詞|……1つの節がもう1つの節を **（ 修飾 ）** する

　例：**(When)** I was a child, | I couldn't swim |.
　　　私が子どものとき　　　　　　私は泳げなかった
　　　（ 従 ） 節　　　　　　　　　**（ 主 ）** 節

等位接続詞：|and / but / so / or / nor　など|
従属接続詞：|when / if / that / though / before / after / because など|

【練習】

とてもお腹が空いていたからハンバーガーを2つ食べた。
① I was very hungry, (**so**) I ate two hamburgers.
② (**Because**) I was very hungry , I ate two hamburgers .

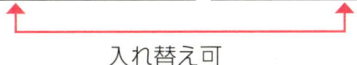

入れ替え可

とてもお腹が空いていたが、何も食べられなかった。
(**Though**) I was very hungry , I couldn't eat anything .

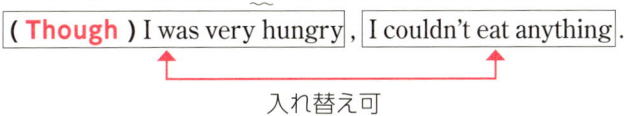

入れ替え可

45 接続詞② ― 名詞節と副詞節
➡問題は 166 ページ

下の2文を比べてみよう。

① I want to talk with him when he comes back.
② I want to know when he will come back.

① I want to talk with him | when he (**comes**) back . ←動詞は (**現在**) 形
　　【主節】　　　　　　　　　【従属節】
　　　修飾
　彼が帰ってきたら 話をしたい。
　　　　　　　　　　　　　前の節を修飾→ (**副**) 詞
　　　　　　　　　　　　　SVを含む→ (**副詞節**)

② I want to know | when he (**will come**) back . ←動詞は (**未来**) 形
　S　　V　　　　(**O**)
　彼がいつ帰ってくるか 知りたい。
　　　　　　　　　　　　　knowの目的語→ (**名**) 詞
　　　　　　　　　　　　　SVを含む→ (**名詞節**)

46 接続詞③ — 接続詞を用いた表現

⇨問題は 168 ページ

(1) not only A but also B：「AだけでなくBも」　動詞はBに対応
　※ Not only he but also I (**am**) very glad to see you.
　B as well as A
　※ I as well as he (**am**) very glad to see you.

(2) either A or B：「AもしくはB」　動詞はBに対応
　※ 否定文に注意：I don't like either coffee or tea.
　　訳：私は (**コーヒーも紅茶も**) 好きではない。

(3) neither A nor B：「AもBもどちらも〜ない」動詞は (**B**) に対応
　※ I (**like**) neither carrots nor onions.
　　訳：ニンジンも玉ねぎも好きではありません。
　※ Neither you nor I (**am**) satisfied with the result.
　　訳：あなたも私も結果に満足していない。

(4) so 〜 that...：とても〜なので…だ
　※ This car is (**so**) expensive (**that**) I can't buy it.
　　言い換え：This car is (**too**) expensive for me (**to**) buy.

(5) 命令文＋and/or　「〜しなさい、そうすれば／さもなくば…」
　※ Exercise more, (**and**) you'll lose weight.
　　Exercise more, (**or**) you'll gain weight.

Column 大スターにはかなわない

「大スターにはかなわないな」と思った話をひとつ。

映画『ビリギャル』の公開前には全国で試写会があります。ある試写会の募集広告で、「坪田信貴トークショー付き」というのがありました。200組400名の募集をしたところ、1000組以上のご応募があったそうです。そんなことを聞かされて、「いやー、そんなに僕を見たいと思ってくださるなんて嬉しいなー」と、ちょっと鼻が伸びかけておりました。

実をいうとその試写会は、サプライズで「有村架純ちゃんが登場する」というものでした。映画の終盤、みなさん感動で涙を流していらっしゃいました。そのあと、司会の方が登場し、「それでは、坪田先生の登場です」という声と同時に、僕がマイクを持って登場。キャー、ワーと素晴らしい歓声と拍手で迎えられました。もうね、大満足ですよ。こんなに気持ちのいいことは人生でもなかなかない（笑）。で、次の瞬間、「今日はサプライズゲストがいらっしゃいます。有村架純ちゃんです！」という声と同時に、「**ギャア〜〜！！！！**」という叫び声。ほぼ悲鳴のような、というか、僕に対する声援の軽く10倍はあるような声援が向けられました。そこで僕が「いやー、100パーセント僕への声援、ありがとうございます」と言うと、会場が爆笑。

それから30分ほどトークショーをしまして、その後、フォトセッションの時間になりました。カメラマンさんから、「架純ちゃん、坪田先生、もうちょっと近づいてください」「次、握手してください」と言われた瞬間に、会場から「エーーーッ！」という**ブーイング**が発生しました（笑）「イヤイヤイヤイヤ、あなたたち、坪田信貴トークショーに応募したんでしょ？」とツッコむと、また爆笑されました（笑）。

比較するようなことではないんですが、やっぱり大スターにはかないませんし、なにより僕の伸びかけた鼻をぽっきり折っていただいて良かったなと思いました。それにしても架純ちゃんはいい子でした。ホントに。

〔著者・監修者紹介〕

監修者：坪田　信貴（つぼた　のぶたか）

　坪田塾／N塾 塾長。これまでに1,300人以上の子どもたちを個別指導し、心理学を駆使した学習法により、多くの生徒の偏差値を短期間で急激に上げることで定評がある。「地頭が悪い子などいない。ただ、学習進度が遅れているだけ。なので、遅れた地点からやり直せば、低偏差値の子でも1〜2年で有名大学、難関大学への合格は可能となる」という信念のもと、学生の学力の全体的な底上げを目指す。

　著書『学年ビリのギャルが1年で偏差値を40上げて慶應大学に現役合格した話』（通称「ビリギャル」・KADOKAWA）は、累計120万部を突破し、有村架純主演で映画化されて大ヒットした。第49回新風賞受賞。

著者：中野　正樹（なかの　まさき）

　坪田塾事業部長。N塾にて東大合格を目指す生徒の指導を行う。これまでに800人以上の生徒を「子別」指導した経験をもつ。学年順位100番以下の生徒を東京大学に合格させ、「ビリギャルの妹」を上智大学合格へ導いた。指導教科は英語、現代文、日本史、世界史、小論文。アメリカの大学院でTESOL（英語教授法）を学び、帰国後大手英会話スクールで入門から最上級レベルの生徒を5年間指導し、通訳、翻訳の経験ももつ。TOEIC940点。

ビリギャル式　坪田塾の英文法ノート　（検印省略）

2016年7月15日　第1刷発行

監　修　坪田　信貴（つぼた　のぶたか）
著　者　中野　正樹（なかの　まさき）
発行者　川金　正法

発　行　株式会社KADOKAWA
　　　　〒102-8177　東京都千代田区富士見2-13-3
　　　　0570-002-301（カスタマーサポート・ナビダイヤル）
　　　　受付時間 9:00〜17:00（土日 祝日 年末年始を除く）
　　　　http://www.kadokawa.co.jp/

落丁・乱丁本はご面倒でも、下記KADOKAWA読者係にお送りください。
送料は小社負担でお取り替えいたします。
古書店で購入したものについては、お取り替えできません。
電話049-259-1100（9:00〜17:00／土日、祝日、年末年始を除く）
〒354-0041　埼玉県入間郡三芳町藤久保550-1

DTP／キャデック　印刷・製本／加藤文明社

©2016 Tsubotajuku, Printed in Japan.
ISBN978-4-04-601640-9　C7082

本書の無断複製（コピー、スキャン、デジタル化等）並びに無断複製物の譲渡及び配信は、著作権法上での例外を除き禁じられています。また、本書を代行業者などの第三者に依頼して複製する行為は、たとえ個人や家庭内での利用であっても一切認められておりません。